BONNE R ... !

MÉTHODE
DE FRANÇAIS

2A

LEÇONS
1 à 14

Pierre Gibert   Philippe Greffet

avec la collaboration de

Marie-Louise Parizet
Annie Pérez-Léon
Alain Rausch

ALLIANCE FRANÇAISE
HACHETTE

Bonne route 2 comprend :

- Livre de l'étudiant : en 1 ou 2 volumes
  - Bonne route 2 = 28 leçons
  - Bonne route 2A = 14 leçons (leçon 1 à leçon 14)
  - Bonne route 2B = 14 leçons (leçon 15 à leçon 28)
- Cassettes sonores (4) : Pour chaque leçon, sont enregistrés (précédés du symbole 🎧) :
  - le texte « oral » (exercice sur ce texte au numéro de la leçon – transcription en fin de volume)
  - un texte littéraire, pouvant servir d'*exercice de dictée*
    (en deux versions : normale et avec « blancs »)
  - les exercices de la rubrique « Pour écrire sans faute »
    (en deux versions : normale et avec « blancs »)
  - les poésies
- Guide pédagogique

Dans la même collection

Bonne route 1

- Livre de l'étudiant, en 1 ou 2 volumes
  - Bonne route 1 : 34 leçons
  - Bonne route 1A : 17 leçons (leçons 1 à 17)
  - Bonne route 1B : 17 leçons (leçons 18 à 34)
- Cassettes sonores
- Guide pédagogique

ISBN 2.01.014509.7

© 1989 - Hachette, 79, bd. Saint-Germain - F 75007 PARIS

Introduction

1 - Le public

Bonne route 2 (2A et 2B) s'adresse à des étudiants – grands adolescents ou adultes – après 200 à 250 heures de français.

2 - Les objectifs généraux

La méthode conduit l'étudiant à un niveau de connaissances correspondant à environ 400 heures de cours (par exemple, au diplôme de langue de l'Alliance française), et sanctionne les quatre compétences : compréhension et production orales et écrites.

Toutefois, à ce niveau, l'accent est mis sur la compréhension écrite et la bonne maîtrise de la grammaire.

3 - Démarche

Bonne route 2 reprend les principes de *Bonne route 1*, à savoir :

- une systématisation des savoirs linguistiques :
lexique, grammaire, orthographe ;
- une présentation explicite de la grammaire :
grammaire descriptive, faisant appel à la réflexion et s'appuyant sur des exemples ;
- une grande quantité et une grande variété d'exercices :
exercices de compréhension, de vocabulaire, de grammaire, exercices d'expression (orale ou écrite) ;
- la possibilité de travailler seul grâce à des pages de révision.

Mais, de plus, *Bonne route 2* privilégie très fortement **l'écrit**, en partant de **textes authentiques.**

Ce niveau se caractérise par :

- une thématique qui, tout en étant largement universelle, fait faire un pas significatif vers la connaissance des réalités françaises ;
- la variété des textes écrits (textes littéraires, articles de presse, sondages, BD, etc.) : choisis pour la lecture, l'explication et destinés à enrichir et à fixer le vocabulaire tout en étant en accord avec la progression grammaticale, ils donnent matière à de nombreux exercices oraux et écrits ;
- des leçons de grammaire dont la progression s'inspire du même souci de clarté, d'économie et de prudence qui avait prévalu dans le premier ouvrage. Tout en apportant de nombreux compléments et précisions aux leçons de celui-ci, on aborde, dans ce tome *2*, l'étude de la phrase complexe. Les exercices d'ouverture, faisant appel à la créativité (contextualisations, simulations, transpositions) sont, ici, les plus nombreux ;
- des documents nombreux et variés (photos, dessins, schémas, tableaux, statistiques, etc.) qui sont toujours l'objet d'un travail de réflexion et de recherche ;
- un ensemble important de 28 documents oraux (enregistrés sur cassette) complète cette documentation qui vise à susciter et à orienter l'effort indispensable de synthèse et de mise au point des connaissances acquises ;
- des compléments :
  - en début d'ouvrage, une leçon de « **Mise en route** », avec les corrigés, permet de faire la transition entre le *1* et le *2 ;*
  - des exercices de révision (**Halte ! révision**) portent, toutes les cinq leçons, sur le contenu des leçons précédentes et récapitulent le lexique nouveau de la partie « **Démarrage** » de chaque leçon ;
  - des dictées enregistrées tirées des textes proposés (une par leçon).

4 - Organisation du livre

Chaque volume *(2A et 2B)* comprend 14 leçons, plus :

- une série d'exercices de révision toutes les 5 leçons ;
- la transcription, en fin d'ouvrage, des documents oraux (enregistrés sur cassette et donnant lieu à des exercices d'écoute « **À l'écoute de** », et d'orthographe « **Pour écrire sans faute** ») ;
- index des notions grammaticales ;
- index du vocabulaire présenté dans les textes de démarrage (vocabulaire actif).

Le contenu de chaque leçon se répartit sur 8 pages :

- p. 1 : ouverture, sensibilisation au contenu du thème de la leçon ;
- pp. 2 et 3 : « **Démarrage** » = textes et documents accompagnés d'un lexique (définissant les mots dans le contexte) et d'exercices de compréhension ;
- pp. 4 et 5 : grammaire, accompagnée d'exercices et d'un mémento d'orthographe d'usage (« **Pour écrire sans faute** ») ;
- pp. 6-7-8 : « **Instantanés** » = textes et documents d'élargissement, reprenant en contrepoint ou en approfondissement le thème traité, accompagné d'exercices d'expression ;
- « **À l'écoute de** » = exercice d'écoute d'un document enregistré. ·

Mise en route

1

MASCULIN/FÉMININ

1. Complétez le tableau

Masculin	Féminin	Qu'est-ce qui change dans le mot ?
• **un ami**	**une amie**	+ e ; même prononciation qu'au masculin
• un anglais	une	....
• le voisin	la	....
• un élève	une	....
• le directeur	la	....
• un employé	une	....
• un coiffeur	une	....
• mon copain	ma	....
• le patron	la	....

2. Trouvez 5 noms qui ont une forme différente au masculin et au féminin. Qu'est-ce qui change ?

2

QUEL TEMPS FAIT-IL ?

Répondez par écrit.
1. Écrivez en lettres la date du jour de la prévision du temps.
2. Pour quel moment de la journée a-t-on fait cette prévision ? Donnez l'heure approximative.
3. Sur la carte de France, placez les villes de Nice, Toulouse et Paris.
4. Vous quittez Toulouse et vous allez, par avion, à Paris. Quel temps fait-il à Toulouse ? À Paris ? En Bretagne ?
5. Quelles sont les régions de France favorisées par le beau temps ?

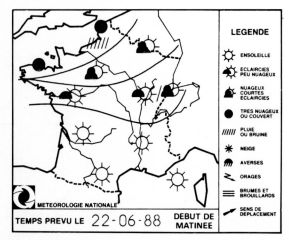

(Le Monde, 21 juin 1988)

3

LES PRONOMS PERSONNELS

Employez le pronom personnel qui convient.
a. Pendant que . . . tu feras la valise, ... irai à l'agence de voyage.
b. Ni . . . ni sa femme n'aiment voyager par avion.
c. J'ai invité Nadine. On sonne : c'est sûrement . . . !
d. Les Français ? . . . . trouve trop individualistes. Ils disent souvent : « Chacun pour . . . ».
e. Combien de tasses de café prenez-vous dans la matinée ? – Oh ! . . . . . . bois trois seulement !
f. « Alors, Nadine tu feras la cuisine tous les jours ? Jean-Paul et . . ., ... ferons ensemble ».
g. Les Bréal ? . . . . . . voyons souvent !
h. Ils ont eu un accident ! Je . . . avais bien dit de ne pas rouler trop vite !
i. Vous connaissez Venise ? – Oui, ... avons de bons amis, Marina et Silvio.
j. Est-ce que ce livre a plu à Thérèse ? Oui, ... a beaucoup aimé.

4

UNE HISTOIRE AU PASSÉ

Mettez les verbes aux temps du pasé qui conviennent.
« ... Quand mes grands-parents (être) très vieux, ils (vendre) leur appartement et ils (aller) habiter à la campagne, dans une maison de retraite. Là, ils (se sentir) en sécurité : il y (avoir) toujours une infirmière qu'on (pouvoir) appeler, le jour comme la nuit. Ils ne (être) jamais seuls, mais au milieu de gens très différents avec qui ils (pouvoir) parler du passé. Car mon grand-père (dire) souvent : raconter sa vie, c'est la vivre une deuxième fois. »

LE SAVEZ-VOUS ?

Complétez la phrase avec A, B ou C.

	A	B	C
a. Adèle ? C'est ma belle-sœur ! C'est...	la fille de mon frère. ☐	la femme de mon oncle. ☐	la femme de mon frère. ☐
b. Où travaille le maçon ?...	dans le commerce. ☐	dans le bâtiment. ☐	dans une banque. ☐
c. Je quitte l'hôtel, je paye...	la note. ☐	l'addition. ☐	la facture. ☐
d. Le drapeau français est bleu, blanc et...	vert. ☐	jaune. ☐	rouge. ☐
e. Au restaurant, à Toulouse, on sert souvent...	de la bouillabaisse. ☐	du cassoulet. ☐	du couscous. ☐
f. Une baguette c'est...	un pain de forme allongée. ☐	une petite bague. ☐	un vêtement. ☐
g. Le T.G.V. c'est le nom...	d'une banque ☐	d'une compagnie aérienne. ☐	d'un train. ☐
h. Un chemisier c'est...	un magasin. ☐	un vêtement de femme. ☐	un vêtement d'homme. ☐
i. Un touriste « vert » préfère passer ses vacances...	au bord de la mer. ☐	à la ferme. ☐	à la montagne. ☐
j. *Le Monde* est un journal qui paraît tous les jours. C'est...	une revue. ☐	un hebdomadaire. ☐	un quotidien. ☐

6

VACANCES

Lisez ces petites annonces :

1

VACANCES EN PROVENCE
Ds village près Hyères.
Loue petite maison 4/6 pers.
TT CFT, calme, terrasse, jardin, piscine.
Plage 15 mn.
Tél. : 83.26.19.47

2

Lacs et canaux hollandais en voilier.
Musées, vélo. 2 650 F/SEM.
Tél. : 69.92.31.20

3

Vacances en **Hte-Savoie,** dans maison familiale.
Calme, bord **LEMAN,** pour **groupes** ou **famille,** pension complète. Prix 150 F/jr.
Juillet, août.
Tél. : Rivot 74.44.04.52 hrs bureau.

4

CAMPING à la ferme. **PÉRIGORD.** Espace, calme, ombre, eau chaude. Plage-baignade à 2 km. Mme CHATEL,
Tél. : 60.20.28.06

5

LA GRÈCE EN LIBERTÉ : 3 semaines août, circuit bus, camping. Ambiance et prix sympas 3 600 F. Brochure : agence Europtour. Tél. : 75.01.42.83

Relevez les précisions données relatives :

	au lieu de séjour	au logement	au prix demandé	aux activités proposées
1.	. . . .	. . . .	. . . .	. . . .
2.	. . . .	. . . .	. . . .	. . . .
3.	. . . .	. . . .	. . . .	. . . .
4.	. . . .	. . . .	. . . .	. . . .
5.	. . . .	. . . .	. . . .	. . . .

7

POURQUOI PARLENT-ILS ?

Ils parlent pour	Mettez la lettre correspondante après chacune de ces phrases (2 phrases par objectif linguistique)	Lettre
a. demander une information	**1.** J'aime aussi Paris !	. . .
	2. Le film à la télévision est à dix heures, n'est-ce pas ?	. . .
b. se justifier	**3.** Il vaut mieux prendre un taxi, c'est plus rapide !	. . .
	4. La jolie brune du quatrième ?	. . .
c. exprimer un jugement	**5.** Tu as eu le bac facilement, tu as eu de la chance !	. . .
	6. Ce n'est pas grave, tant mieux !	. . .
d. caractériser une personne	**7.** À trois heures : ça va ?	. . .
	8. Non, parce que cet appartement est trop grand et que le loyer est trop cher.	. . .
e. proposer	**9.** Si, si, nous aurons notre avion.	. . .
f. exprimer leurs goûts, leurs préférences	**10.** J'ai été malade, je n'ai pu travailler.	. . .
	11. Thérèse ? Où est-elle maintenant ?	. . .
g. rassurer	**12.** Tu as échoué ? Tu ne travailles pas assez !	. . .
	13. Et si on allait au cinéma ?	. . .
h. suggérer	**14.** Anna et Jack travaillent beaucoup.	. . .
	15. Le petit gros aux cheveux frisés !	. . .
i. argumenter	**16.** Tu sais, moi, je préfère rester à la maison.	. . .
	17. Oui, mais... je suis dactylo, dans une banque, loin d'ici.	. . .
	18. Prenons un taxi, voulez-vous ?	

8

À L'ÉCOUTE DE

Écoutez l'enregistrement. En vous aidant de la liste des questions, racontez à votre tour, par oral ou par écrit, l'histoire de ce « kidnappeur ».

a. Quel est le nom du « kidnappeur » ? Qui est-il ?
b. Il téléphone à qui ? Que lui dit-il ?
c. Où est le retraité qui n'est pas à la maison ?
d. Quelle somme demande le « kidnappeur » ?
e. Où faut-il remettre cette somme ?

f. La police est prévenue : que fait-elle ?
g. Est-ce que le « kidnappeur » avoue son crime tout de suite ?
h. Pour trouver la vérité, que font les policiers ?
i. Quelle faute a fait le « kidnappeur » ?
j. L'histoire se termine-t-elle bien ?

« Le Monde » 21.06.1966

SOLUTIONS

7. 1f, 2a, 3e, 4d, 5i, 6g, 7e, 9g, 10b, 11a, 12c, 13h, 14c, 15d, 16f, 17i, 18h.

1.

La prononciation	change	ne change pas	
une anglaise	+ e.		x
la voisine	+ e.		x
une élève	rien ne change.	x	
la directrice	+ e.		x
une employée	+ e.	x	
une coiffeuse	la dernière syllabe change.		x
ma copine	la dernière syllabe change.		x
la patronne	+ e (avec redoublement du n).		x

2.
1. Le vingt-deux juin mille-neuf-cent-quatre-vingt-huit.
2. Huit ou neuf heures.
3.
À Paris, le temps est peu nuageux, avec des éclaircies.
À Toulouse, le temps est ensoleillé.
En Bretagne, le temps est très nuageux.
5. Il y a du soleil sur la moitié sud de la France (l'Aquitaine, le Massif Central, les régions Midi-Pyrénées et Rhône-Alpes, la Côte d'Azur et la Corse).

3.
a. toi, moi, l'	**f.** moi, nous la	
b. lui	**g.** nous les	
c. elle	**h.** lui	
d. moi, je les, soi	**i.** nous y	
e. j'en	**j.** elle l'	

4. *étaient ou ont été ; ils ont vendu ; ils sont allés ; ils se sentaient ; il y avait ; qu'on pouvait ; ils n'étaient ; ils pouvaient ; disait.*

5. (réponses : a C, b B, c A, d C, e B, f A, g C, h B, i B, j C.)

6. Lieu de séjour : 1 - En Provence. 2 - Aux Pays-Bas (Hollande). 3 - En Haute-Savoie (Alpes françaises). 4 - En Périgord (Sud-Ouest français). 5 - En Grèce.
Logement : 1 - Maison dans village avec jardin et piscine. 2 - Bateau à voiles. 3 - Grande maison familiale. 4 - Camping à la ferme. 5 - Camping.
Prix : 1 - Néant. 2 - 2 650 F par semaine. 3 - 150 F par jour et par personne en juillet et en août. 4 - Néant. 5 - 3 600 F pour 3 semaines.
Activités : 1 - Repos, natation, bains de mer. 2 - Visites des musées, promenades à vélo. 3 - Repos, canotage, baignades (lac Léman). 4 - Repos, promenades, baignades. 5 - Circuit touristique en autobus.

LA FAMILLE ? OUI, MAIS...

1 Démarrage

LE COUPLE ET LA FAMILLE

CLAIRE BRETÉCHER

je ne sais pas comment font les gens... moi je trouve que la vie de couple c'est infernal

1 Ne crois-tu pas que le bonheur, c'est se trouver au centre d'un cercle plein d'enfants rieurs, avec un homme, une maison, des objets familiers, des fleurs et le ciel par dessus le toit ?

Françoise Renaudot, *Moi, j'irai à Dreux,* Robert Laffont.

 « Que c'est bon de vous retrouver ! Que c'est bon d'être ici ! » s'exclamait Alice. [...] Elle regardait ses parents, elle les embrassait et elle rebondissait de l'un à l'autre ; elle tournait sur elle-même, les bras en l'air, elle contemplait la voûte de la gare et elle se précipitait de nouveau sur eux pour les enlacer tour à tour, le père, la mère, la sœur et la chatte.

Nicole Avril, *La Disgrâce,* Albin Michel.

3 Notre couple était une défaite. Nous avions eu à mener un combat ensemble et nous l'avions perdu même si, en apparence, cela ne se voyait pas. Nos enfants étaient une source d'intérêt et d'amour suffisamment abondante pour que, pendant les quelques jours où nous étions réunis, nous ayons l'air d'un couple heureux. J'avais très peur du divorce [...]. Il me semblait que le divorce nous aurait séparés d'une façon dramatique, alors que les milliers de kilomètres qu'il y avait entre nous n'étaient vécus dramatiquement ni par les enfants ni par moi-même [...]. Je m'attachais à ce que leur père, malgré son absence, fasse partie de leur vie quotidienne. S'il n'était pas là c'est que son métier l'appelait ailleurs [...]. Chaque jour je leur parlais de lui [...]. Il était ainsi devenu le personnage le plus important de notre famille.

Marie Cardinal, *Les Mots pour le dire,* Grasset.

1

VRAI OU FAUX ?

Texte **2** :   **V   F**

– Alice revient chez elle .... ☐ ☐
– Sa famille l'attend à l'aéroport ☐ ☐
– Alice est fille unique .... ☐ ☐

Texte **3** :   **V   F**

– Les parents ne s'aiment plus . ☐ ☐
– Les enfants voient leur père
  tous les jours .... ☐ ☐
– Les parents ont divorcé ..... ☐ ☐

2

DES MOTS

1. Lisez les textes **2** et **3** et relevez tous les mots qui se rapportent à la *famille* et au *couple*.

2. Utilisez ces mots pour compléter le texte suivant et vérifiez vos réponses en écrivant ces mots dans la grille : suivez les numéros indiqués entre parenthèses.

La ...(7) Martin se compose de quatre personnes : les ...(3), c'est-à-dire Monsieur Martin, le ...(5), Madame Martin, la ...(4) et les ...(1), Pierre et sa ...(6) Catherine. Monsieur et Madame Martin forment un ...(8) heureux. On peut être sûr que jamais le ...(2) ne détruira cette harmonie.

3

Relisez le texte **2** et cochez les réponses correctes.

1. Le personnage principal du texte est :
☐ la famille. ☐ Alice. ☐ la gare.

2. Les verbes employés expriment plutôt :
☐ des pensées.
☐ des sentiments.
☐ des mouvements.

4. Alice s'exprime avec :
☐ des mots interrogatifs.
☐ des mots exclamatifs.
☐ des négations.

Alice est :
☐ triste.   ☐ joyeuse.
☐ en colère.   ☐ inquiète.

4

Observez le dessin p. 7.

1. Pourquoi la réponse de la jeune femme est-elle amusante ?

2. Complétez les phrases suivantes à l'aide de *chez* ou *avec* :

   a. Quand vous viendrez à Paris, venez donc habiter... nous.

   b. Depuis qu'elle a divorcé, Martine n'habite plus... son mari ; elle est retournée... sa mère.

3. Expliquez pourquoi on dit qu'on habite *chez* ses parents et *avec* son mari.

1 Grammaire

La phrase simple

GROUPE DU NOM SUJET		GROUPE DU VERBE
A.	Alice	regardait ses parents.
B.	Je	m'attachais à évoquer leur père.
C.	Notre couple	était une défaite.
D.	Leur père	téléphone.

■ **La phrase simple** est une phrase qui n'a qu'un verbe conjugué. Elle est constituée de deux éléments fondamentaux : le groupe du nom (ou groupe nominal) dont le terme essentiel est le nom ou son remplaçant, le pronom, et le groupe du verbe (ou groupe verbal) qui comporte le verbe et ses compléments.

■ **Le groupe du nom** peut être long ou court. Pour le reconnaître, on le remplace par un pronom (Exemple **C** : *notre couple → il*). Il est sujet : c'est sa fonction dans la phrase. Il est généralement au début de la phrase.

■ **Le groupe du verbe** peut avoir différentes constructions, par exemple :
- verbe + complément d'objet direct **(A)**.
- verbe + complément d'objet indirect, c'est-à-dire précédé d'une préposition : *à* ou *de* **(B)**.
- verbe + attribut, c'est-à-dire que le mot qui suit le verbe désigne la même réalité que le sujet **(C)**. Cette construction concerne les verbes *être, rester, sembler, devenir,...*
- verbe seul, sans complément **(D)**.
- verbe + complément d'objet direct (ou indirect) + complément d'objet indirect (cf. *Bonne route 2*, leçon 8).

1
Repérez le groupe du nom dans chaque phrase du texte 3.

2
Retrouvez dans les textes de la page 8 un exemple correspondant à chacune des constructions A, B, C, D.

3
Utilisez le groupe nominal de A et faites-le suivre d'une structure B, C ou D (Exemple : *Alice était une fille très affectueuse*). Faites la même chose en associant le sujet de B aux structures A, C, D, et ainsi de suite.

4
Transformez les phrases des exemples et celles que vous avez construites en phrases : **interrogatives** (Exemple : *Notre couple étonnait-il les voisins ?*), **exclamatives** (Exemple : *Leur père téléphone !*), **négatives** (Exemple : *Alice ne regardait pas les passants.*).

Mots de liaison entre noms ou phrases simples

A. Elle contemplait la voûte de la gare **et** elle se précipitait de nouveau vers eux... Elle ne regardait **ni** les voitures **ni** les passants. Elle embrassait la mère **ou** la chatte, le père **puis** la grand-mère.

B. Leur père n'était pas là **car** son métier l'appelait ailleurs.

C. Je leur parlais de lui ; il était **ainsi** devenu le personnage le plus important de notre famille. Ou : ... **ainsi** il était devenu...

■ Les noms peuvent être juxtaposés *(le père, la mère, la sœur)* ou reliés entre eux par un mot invariable : une **conjonction de coordination** *et, ou, ni,* ou un **adverbe** (et) *puis*, (et) *après*, (et) *ensuite*.

■ Les phrases simples, elles aussi, peuvent être juxtaposées ou coordonnées par des mots invariables :

les conjonctions de coordination	les adverbes de coordination
et (addition)	**alors, aussi, puis** (addition)
ou, ni (choix)	**cependant, pourtant,**
mais, or (opposition)	**par contre, toutefois,**
	en revanche (opposition)
car (cause)	**ainsi, en effet, donc,**
	par conséquent (conséquence)

- **Les conjonctions** n'ont qu'une place possible (**A** et **B**) : elles se placent entre les deux phrases liées.

- **Les adverbes de coordination** peuvent se placer au début de la seconde phrase ou après le verbe (ou l'auxiliaire) de cette seconde phrase (Exemple **C** : *... il était* **ainsi** *devenu* ou **ainsi** *il était devenu...*).

- Les mots ou les phrases liés par un coordonnant ont la même nature et la même fonction (à la différence des propositions liées par une conjonction de subordination).

5
Utilisez dans chacune des phrases suivantes un terme de liaison différent (ainsi, car, cependant, en effet, en revanche, et, mais, ni... ni..., pourtant, toutefois) **et exprimez d'une autre manière ce que dit le texte.**

a. « Il est bon de vous retrouver..... d'être ici ! » s'exclamait Alice.
b. J'avais très peur du divorce..... il me semblait que le divorce nous aurait séparés de façon dramatique.
c. Notre couple était une défaite..... cela ne se voyait pas.
d. La distance ne nous gênait pas ;..... les milliers de kilomètres qui nous séparaient de mon mari n'étaient pas vécus dramatiquement.
e. Je parlais souvent de mon mari..... il était devenu le personnage le plus important de la famille (ou : il était..... devenu le personnage.....).
f. Mon mari ne m'aimait plus ; ..... il adorait les enfants.

g. Je n'aimais plus mon mari,..... j'avais peur du divorce.
h. Nous ne souffrions..... de l'absence.. .... de la distance.
i. Nos vies étaient profondément séparées..... les jours où nous nous rencontrions, nous avions l'air d'un couple heureux.

6

Composez un menu de restaurant de luxe (avec beaucoup de *et*) et un menu de restaurant modeste (« fromage *ou* dessert »).

Le mot « que »

A. Nous avions mené un combat **que** nous avions perdu.

B. **Que** c'est bon d'être ici ! **Que** demandez-vous ?

C. Il me semblait **que** le divorce nous aurait séparés.

Que a des sens et des emplois différents : il peut être pronom **(A)**, adverbe **(B)** ou conjonction **(C)**.

■ *Que pronom relatif* évite une répétition, il remplace un groupe nominal (Exemple **A** : *Nous avions mené un combat. Nous avions perdu ce combat* → *Nous avions mené un combat **que** nous avions perdu*). **Que** est complément d'objet direct du verbe de la **proposition relative** qu'il introduit.

■ *Que adverbe exclamatif ou pronom interrogatif* est placé en tête des phrases exclamatives ou interrogatives qu'il introduit **(B)**.

■ *Que conjonction de subordination* n'a pas de sens spécifique **(C)** ; il ne sert qu'à relier un verbe principal et une proposition subordonnée (généralement complément d'objet direct de la principale).

7

Faites des phrases avec *que* pronom relatif.
Je vais téléphoner à ma mère. Je n'ai pas vu ma mère depuis deux semaines → *Je vais téléphoner à ma mère **que** je n'ai pas vue depuis deux semaines.*
Sur ce modèle, faites le plus grand nombre de phrases possible en utilisant les variations suivantes : téléphoner (rendre visite, rencontrer, écrire, parler, embrasser, revoir, etc.) ; mère (père, frère, ami, etc.) ; voir (appeler, inviter, entendre, etc.) ; deux semaines (hier, dimanche, huit jours, un an, etc.).

8

Faites d'autres phrases avec *que* pronom relatif.
*L'olive est un fruit **que** l'on presse pour obtenir de l'huile.*
Sur ce modèle, établissez la définition (avec *que*) de dix objets.

9

Faites des phrases avec *que* adverbe exclamatif : Étudiant A : *« **Que** ce bébé est mignon ! »* **Étudiant B :** *« **Que** cet enfant est monstrueux ! »*. **De la tête aux pieds, établissez à deux le portrait contrasté d'un jeune enfant.**

10

Faites des phrases avec *que* pronom interrogatif.
Étudiant A : *« Je voudrais des renseignements sur ... ».*
Étudiant B : *« **Que** dites-vous ? ».*
Poursuivez en dix répliques ce dialogue de « sourds » sans jamais réutiliser le même verbe.

11

Faites des phrases avec *que* conjonction de subordination. Voici deux listes de verbes qui se construisent avec *que* :

verbes suivis de *que* + indicatif	verbes suivis de *que* + subjonctif
affirmer, dire, expliquer, considérer, croire, estimer, penser, supposer, apprendre, savoir, raconter	admettre, attendre, désirer, interdire, ordonner, souhaiter, vouloir, craindre, redouter, douter

Étudiant A : *« Je veux **que** vous attachiez vos lacets. »*
Étudiant B : *« Je vous explique **que** je ne peux pas me baisser. »*
Poursuivez à deux ce dialogue où l'un donne des ordres et l'autre refuse en expliquant pourquoi il n'obéit pas.

POUR ÉCRIRE SANS FAUTE

Les signes de ponctuation

Le célibataire, en principe, a le choix : sortir ou ne pas sortir ; il a aussi du temps pour lui. C'est formidable, non ? Mais, quelquefois, le célibataire ne sort pas et il reste seul ! Alors, il se dit : « Si j'étais marié... »

■ Quand on écrit, on met une lettre **majuscule** au début des phrases, au début des noms propres, au début du nom des habitants d'un pays (Exemple : *Les **A**nglais apprennent le français ; les **F**rançais boivent du thé indien.*)

■ **Le point** (.) termine toujours une phrase. **Le point d'exclamation** (!), **le point d'interrogation** (?), **les points de suspension** (...) terminent généralement une phrase. Ils sont suivis d'une majuscule.

■ **La virgule** (,) ou **le point virgule** (;) séparent deux idées différentes à l'intérieur d'une même phrase (la différence est plus grande avec ;). **Les deux points** (:) signalent qu'on va expliquer. Aucun de ces signes n'est suivi d'une majuscule.

■ **Les guillemets** (« ») veulent dire qu'on cite les paroles de quelqu'un.

12

Mettez les signes de ponctuation. Vous avez à votre disposition : trois (,) / deux (« ») / deux (?) / un (!) deux (:) / un (–) / un (.) (N'oubliez pas les majuscules).

monsieur martin a demandé à sa femme où irons-nous en vacances cette année madame martin a répondu nous ne partirons pas hélas nous n'avons pas assez d'argent mais il y a une solution a dit monsieur martin si nous faisions du camping.

1 Instantanés

NOUS, LES CÉLIBATAIRES !

4

Tous les choix me sont permis, alors que si j'étais marié, je n'aurais qu'une possibilité : rejoindre ma femme et mes enfants, faire un bon dîner en regardant la télévision. Pour moi, célibataire, tout est possible. Je peux rendre visite à ma mère que je n'ai pas vue depuis dix jours, je ferai ainsi une bonne action. Je peux dîner seul, d'un repas froid et me coucher à dix heures ; mais ce serait bien ordinaire, cela ! Au contraire, je peux choisir de passer ma soirée en ville : dîner dans un restaurant exotique, aller ensuite dans un lieu à la mode pour boire, danser, rencontrer de charmantes femmes...

D'après André Bercoff,
l'Express, nov. 1986.

POUR S'EXPRIMER

5

COMPAREZ

1. Dans les textes **1** et **2**, le bonheur c'est d'avoir une famille ou d'être célibataire ?
2. Dans le texte **3**, le couple est-il heureux ? De quoi la mère a-t-elle peur ? À votre avis, a-t-elle raison d'avoir peur ?
3. Dans les textes **4** et **6**, qu'est-ce qui fait le bonheur des célibataires ?

6

ARGUMENTEZ

Êtes-vous pour ou contre la vie de célibataire ?
Pourquoi ?
Discutez avec vos voisins, en utilisant :
les arguments relevés,
vos propres arguments,
les mots de liaison : *et - or - mais - car - donc - ainsi - au contraire - alors que.*

7

DÉFINITION

Donnez votre définition du bonheur : par exemple,
pour vous, le bonheur, c'est
– se promener au printemps,
– gagner à la loterie,
– avoir un bon travail,
– voyager dans le monde entier... Complétez l'énumération et expliquez vos critères.

8

IMAGINEZ

Vous assistez à la rencontre de deux ami(e)s qui ne se sont pas vu(e)s depuis longtemps.
Que disent-ils (elles) ?
Que font-ils (elles) ?

6

Le formidable atout du célibataire [...] reste sa disponibilité. Il a du temps pour lui et ne doit rendre de compte à personne. « Pas question [...] de rester passif. Il n'y a pas qu'à deux qu'on peut être heureux. On peut profiter de cette liberté pour apprendre à mieux se connaître soi-même, à repérer ses forces et ses faiblesses [...]. Tout le monde d'ailleurs devrait apprendre à vivre seul. Passer un dimanche tranquille avec un bon livre ou un disque ferait envie à plus d'une mère de famille débordée ! »

Marie-France, nov. 1987.

5 MONO... GRAPHIES

La solitude est à la mode : elle inspire une foule de livres qui paraissent cet automne. Nous vous signalons entre autres :

Nous les célibataires par
Odile Lamourère (Hachette).
Témoignages, entretiens, enquêtes pour prouver que la vie en soliste peut être l'antisolitude.

Belles, intelligentes et... seules par Cohen et Kinder (Laffont).
Une étude psychologique assez fine sur celles qui refusent de s'engager dans une relation à deux.

Guide du célibat et des célibataires par Evelyne Doucet (Hachette).
Un carnet d'adresses extrêmement complet à l'attention des célibataires endurcis, comme des jeunes gens, des femmes seules avec enfants, des concubins et des retraités.

Moi solo par Marie-Claude Delahaye (Marabout).
Un guide pratique pour s'organiser, se distraire, voyager et se cultiver . Les adresses couvrent surtout la région parisienne.

Marie-France, nov. 1987.

POUR S'EXPRIMER

9
CLASSEMENT
Complétez le tableau à l'aide des renseignements donnés par le document **5**.

livre n°	auteur	éditions	type d'ouvrage	critique
1	O. Lamourère	Hachette	Témoignages	Bonne
...	...	...	...	...

1 Instantanés

À L'ÉCOUTE DE...

1

Qu'en pensez-vous ?
1. Un bon mariage est-il :
a. un mariage d'amour ?
b. un mariage organisé par les parents ?
2. Mari et femme
a. peuvent-ils,
b. ne peuvent-ils pas vivre ensemble sans amour ?

2

Écoutez et cochez la réponse correcte.

1. Un mariage « arrangé » est plus solide qu'un mariage d'amour.	☐ oui	☐ non
2. Un couple sur trois divorce.	☐ oui	☐ non
3. L'amour dans le mariage dure environ sept ans.	☐ oui	☐ non
4. On parle des vieux couples heureux.	☐ oui	☐ non

7

LE MARCHÉ DE LA SOLITUDE

• On compte actuellement 6 millions de personnes qui vivent seules dont 2 millions de familles monoparentales (un parent et des enfants), soit un Français sur dix.

• Jusqu'à 40 ans, les hommes seuls sont plus nombreux que les femmes seules. Puis la courbe s'inverse. Dans la tranche des 45-49 ans, il y a 17 % des femmes célibataires contre 15,7 % d'hommes, et pour les 70-74 ans, il ne reste plus que 22,5 % d'hommes seuls pour 55,4 % de dames seules.

• Rien que dans la région parisienne, on dénombre 1 200 000 personnes seules : elles occupent un logement sur deux.

Marie-France, nov. 1987.

8 Le temps des célibataires

Indice de nuptialité des célibataires
(mariages de célibataires pour 1 000 en France)

9 Divorce : crise de croissance

Proportion annuelle de mariages rompus
par un divorce en France pour 100 mariages

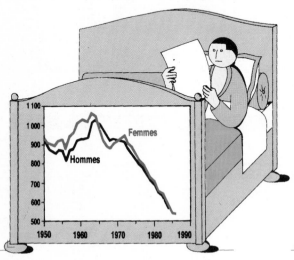

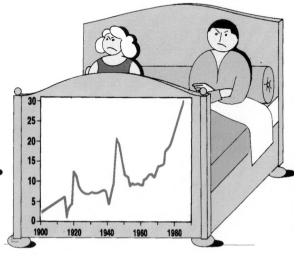

JEUNESSE : ÂGE HEUREUX ?

2

2 Démarrage

QUELLE ÉDUCATION ?

2 🎧 Les conseils de mon père :
Marche deux heures tous les jours, dors sept heures toutes les nuits ; couche-toi dès que tu as envie de dormir ; lève-toi dès que tu es éveillé. Ne mange qu'à ta faim, ne bois qu'à ta soif et toujours sobrement. Ne parle que lorsqu'il le faut ; n'écris que ce que tu peux signer ; ne fais que ce que tu peux dire. N'oublie jamais que les autres comptent sur toi et que tu ne dois pas compter sur eux. N'estime l'argent ni plus ni moins qu'il ne vaut : c'est un bon serviteur et un mauvais maître.

Alexandre Dumas fils.

1 J'ai eu des parents parfaits [...] L'éducation de ma mère était faite de questions simples : « As-tu brossé tes dents ? As-tu fini tes devoirs ? » Et de commandements simples : « Ne te balance pas sur ta chaise. Va te coiffer avant de passer à table. » Et de principes indiscutables : « On met la main devant sa bouche pour tousser. On se lève devant une dame. On ne lui demande jamais son âge. » [...] Je suis né rue des Bons-Enfants.

Jacques Charon, *Moi, un comédien,* **Albin Michel.**

LEXIQUE	
P. 15	**1**
pourvu que : ici, exprime le souhait : je souhaite que le café soit bon	**des commandements** : des ordres
se faire ébouillanter : être brûlé par un liquide très chaud	**passer à table** : aller manger
	des principes : des règles de conduite
l'angoisse : une très grande inquiétude	**indiscutables** : ici, qu'on ne peut pas remettre en question
permanente : qui ne s'arrête jamais	**2**
	sobrement : sans exagération
	estime l'argent : donne un prix, de l'importance à l'argent...

1
DES MOTS

Dans les textes **1** et **2,** on parle de : questions, commandements, principes et conseils. Trouvez pour chacun de ces mots un ou deux synonymes dans la liste suivante :
avis, ordre, règle de conduite, interrogation, suggestion, demande.
Vous pouvez vous aider de votre dictionnaire.

2

« *Pourvu que le café soit bon* » : c'est un souhait.
« *Ne te balance pas sur ta chaise* » : c'est un ordre.
« *Toi, tu vas faire du café* » : c'est un ordre.
« *On se lève devant une dame* » : c'est un principe.
1. Dans ces phrases, quel est le mode utilisé pour exprimer le souhait ? Relevez dans le texte **1** les verbes au même mode.

2. Dans ces phrases, quels sont les modes utilisés pour exprimer des ordres ou des principes ? Relevez en **P. 15,** ainsi que dans les textes **1** et **2** les verbes au même mode.

3

Pour chacune des phrases **1, 2** et **3** trouvez la phrase **a, b** ou **c** qui a un sens différent.
1. « *N'oublie jamais que les autres comptent sur toi* ».
a. N'oublie jamais que les autres espèrent ton aide.
b. N'oublie jamais que les autres calculent combien tu gagnes.
c. N'oublie jamais que les autres ont confiance en toi.
2. « *Ne fais que ce que tu peux dire* ».
a. Ne fais rien en cachette.
b. N'affirme pas de choses fausses.
c. Sois responsable de tes actes.
3. « *N'estime l'argent ni plus ni moins qu'il ne vaut* ».
a. Ne crois pas que l'argent n'a pas d'importance.

b. N'accorde pas trop d'importance à l'argent.
c. L'argent est essentiel dans la vie.

4
À VOTRE AVIS :

Quels principes d'éducation sont encore valables aujourd'hui ? Sont-ils les mêmes dans votre pays ? Y en a-t-il d'autres ?

5

Lisez la bande dessinée p. 15. Cette mère de famille est-elle une bonne ou une mauvaise mère ? Pourquoi ?

2 Grammaire

L'impératif

(rappel. cf. *Bonne Route 1*, leçon 16.)

A. Marche deux heures. Ne **mange** pas trop.

B. Dors sept heures. N'**écris** pas n'importe quoi.

C. Soyons courageux. **Ayons** confiance.

D. Bonjour les enfants. **Prenez** vos cahiers et écrivez.

E. Constance, **servez** le potage, s'il vous plaît.

Formation

L'impératif est un mode qui se conjugue sans pronom. Il ne comporte que trois formes. Le singulier (**A** et **B**) a la même forme que la 2ᵉ personne du singulier de l'indicatif présent, mais les verbes qui se terminent par un *e* muet (cf. ci-dessus) ne prennent jamais de *s (marche, mange, offre)*.

Les 1ʳᵉ et 2ᵉ personnes du pluriel sont les mêmes que celles de l'indicatif présent (**D** et **E**). Elles sont parfois empruntées au subjonctif présent (**C**).

Emploi

■ Le singulier s'emploie pour s'adresser à une personne que l'on tutoie (**A**). La 1ʳᵉ personne du pluriel (forme assez rare) s'emploie pour un groupe dont fait partie celui qui parle (**C**). La 2ᵉ personne du pluriel s'emploie par un groupe (**D**) ou pour une personne que l'on vouvoie (**E**).

■ L'impératif sert à donner des **ordres**, des **conseils** ou à interdire. Il est souvent employé avec *s'il te plaît, s'il vous plaît*.

■ La négation encadre normalement le verbe (**A** et **B**). **L'intonation** joue un grand rôle dans la prononciation de l'impératif. (Cf. *Bonne Route 1*, p. 115.)

Verbes irréguliers

1
a. Cherchez dans les textes 1 et 2 les verbes à l'impératif.
b. Prononcez les phrases qui ont un verbe à l'impératif avec l'intonation correcte.
c. Supposez que le père d'Alexandre Dumas vouvoie son fils. Refaites le texte (texte 2).

2
L'ordre peut s'exprimer par d'autres formes que l'impératif. Cherchez dans le texte 1 une autre façon de donner des ordres :
a) par une interrogation ;
b) par l'indicatif présent.
Transformez les « questions » et les « principes » en commandements à l'impératif.
Inventez d'autres règles de bonne conduite.

Le subjonctif présent

(rappel : *Bonne route 1*, leçon 34.)

A. Pourvu qu'il **fasse** beau ! Que Dieu t'**entende** !

B. Mon père a interdit qu'on **reçoive** des amis à la maison.

C. Je veux que ma mère **parte** en vacances mais elle ne veut pas **partir** en vacances.

Formation

■ Pour les verbes en -*er*, les formes des personnes *je, tu, il, ils* sont les mêmes que celles du présent de l'indicatif. Les formes des 1ʳᵉ personnes du singulier et du pluriel et des 2ᵉ et 3ᵉ personnes du singulier *nous* et *vous* sont les mêmes que celles de l'imparfait de l'indicatif.

■ Pour les autres verbes de conjugaison régulière, les formes *je, tu, il, ils* se forment sur le radical de la 3ᵉ personne du pluriel du présent de l'indicatif auquel on ajoute les terminaisons -*e, -es, -e.* -*ent*.
Exemple : *Ils dorment* (indicatif présent). → *Il faut que je dorme* (subjonctif présent).
Les formes *nous* et *vous* sont les mêmes que celles de l'indicatif imparfait.
Exemple : *Nous prenions* (indicatif imparfait). → *Il faut que nous prenions* (subjonctif présent).

		être	avoir	aller	faire	pouvoir	savoir	vouloir
il faut que (qu')	je (j')	sois	aie	aille	fasse	puisse	sache	veuille
	tu	sois	aies	ailles	fasses	puisses	saches	veuilles
	on il/elle	soit	ait	aille	fasse	puisse	sache	veuille
	nous	soyons	ayons	allions	fassions	puissions	sachions	voulions
	vous	soyez	ayez	alliez	fassiez	puissiez	sachiez	vouliez
	ils/elles	soient	aient	aillent	fassent	puissent	sachent	veuillent

Emploi

Dans les phrases simples, le subjonctif exprime **le souhait (A)**. Dans les propositions subordonnées **(B)**, le subjonctif s'emploie quand le verbe principal exprime **la volonté (ordre, défense), le doute, un sentiment (souhait, crainte)**.

Si la principale et la subordonnée ont le même sujet, on emploie l'infinitif dans la subordonnée **(C)**.

Dans certaines subordonnées relatives, on a parfois le choix entre l'indicatif et le subjonctif.
L'indicatif marque la certitude. Exemple : *Je cherche une maison qui* **est** *grande (je sais qu'elle existe)*. Le subjonctif marque le souhait. Exemple : *Je cherche une maison qui* **soit** *grande (je souhaite trouver une grande maison)*.

3

Repérez les verbes au subjonctif dans le texte suivant :

Je veux que mes enfants soient bien élevés, qu'ils écoutent ce qu'on leur dit et qu'ils obéissent sans discuter. J'ai constaté qu'ils étaient bons et généreux. Que ces vertus ne les quittent jamais ! Je préfère qu'ils soient charitables que très instruits. Mes neveux ont obtenu des examens très difficiles mais ils n'aiment pas leurs parents. Je souhaite que mes fils ne leur ressemblent pas.

4

Reprenez le texte 2 en commençant les phrases par *il faut que*. Exemple : *Il faut que tu marches deux heures tous les jours.* **Faites la même chose pour les « questions » et les « principes » du texte 1 en commençant par** *je veux que*. Exemple : *Je veux que tu te brosses les dents.*

5

Par groupes, faites quatre phrases avec les éléments de a, de b et de c, (tableau ci-dessous) en utilisant obligatoirement le subjonctif. Exemple : *Je veux que tu sois heureuse.*

a. je veux	b. (avoir)	c. les exercices.
il préfère	(être)	heureux (se).
il faut que	(faire)	une bonne éducation.
elle souhaite	(marcher)	beaucoup.
ils ne pensent pas	(dormir)	longtemps.

6

Avec les mêmes éléments, faites cinq phrases avec un verbe à l'infinitif. Exemple : *Je veux* **être** *heureuse.*

7

Employez les verbes suivants pour dire comment, d'après vous, il faut élever les enfants : vouloir, préférer, souhaiter, aimer, penser, interdire, être nécessaire, être indispensable. Exemple : *Je* **souhaite** *que ma fille travaille bien en classe.*

8

Reprenez les conseils d'éducation donnés par A. Dumas et J. Charon et expliquez leur raison d'être en employant *pour que* + subjonctif. Exemple : *Brosse-toi les dents* **pour qu'**elles **soient** propres.

N'oublie pas que les autres comptent sur toi.

Écoutez l'enregistrement. Vous constaterez que dans cette phrase, trois sons [ə] qui correspondent à des fins de mots ne se prononcent pas. De même, le *e* de la fin du radical pour les verbes en *-er* au futur disparaît à l'oral. Exemple : *Il paiera* (cf. *Bonne route 1*, leçon 20).

9

Cherchez les *e* muets dans le texte 2.

10

Reprenez le texte 1 et exprimez les « questions » et les « principes » au futur – autre manière d'exprimer un ordre. Exemple : *Tu te brosseras les dents.* **Soignez la prononciation.**

Remarque : Dans le sud de la France, on a tendance à prononcer les *e* muets. On dira :
/les/au/tres/comp/tent/sur/toi/ en 7 syllabes, alors que dans le nord, la même phrase n'aura que 5 syllabes :
/les/autres/comptent/sur/toi/.

2 Instantanés

INQUIÈTE ADOLESCENCE...

3

J'avais vingt ans. Je ne laisserai personne dire que c'est le plus bel âge de la vie.
Tout menace de ruine un jeune homme : l'amour, les idées, la perte de sa famille, l'entrée parmi les grandes personnes.

Paul Nizan, *Aden Arabie*, Maspéro.

MODIGLIANI - *Le jeune apprenti.*

4

ET TOI, JEAN-MARC EN QUOI EST-CE QUE TU TE DÉGUISES POUR MARDI GRAS ?

Kerexox

5

Je suis dans ma quinzième année. On m'appelle « jeune homme ». Je suis un adolescent. Eh bien, pitié pour moi ! Pitié pour tous les adolescents du monde ! Je ne suis pas heureux. Tout en moi, est discordance et combat. Mon cœur est d'un enfant, mais j'ai la voix grave d'un homme, les mains, les pieds, les muscles d'un homme. Le poil commence à me pousser aux joues, et pourtant, comme un très petit garçon, j'ai parfois envie d'un gâteau, d'un bonbon (...) Je suis faible et, certains jours ma force m'étonne. Je ne sais rien, mais je saurai tout (...) Je donnerais avec ardeur cinq ans de ma vie ! Oui, cinq ans, pour en avoir fini de cette odieuse adolescence. Cinq ans et je serai tout à fait un homme ! (...) Cinq ans, et je regarderai le soleil en face.

Georges Duhamel, *Le jardin des bêtes sauvages,* Mercure de France.

 À L'ÉCOUTE DE...

Lisez les phrases. Écoutez le dialogue.
Cochez les bonnes réponses.

1. L'enfant est né ☐ le 8 juillet.
   ☐ le 13 août.
   ☐ le 13 juillet.
2. Son cadeau d'anniversaire est ☐ une ceinture.
   ☐ l'âge de raison.
3. « Recevoir la ceinture », c'est ☐ une punition.
   ☐ une récompense.
4. L'enfant ☐ a des frères.
   ☐ a des sœurs.
   ☐ est fils unique.
5. Pour le père, l'âge de raison c'est
   ☐ avoir toujours raison.
   ☐ savoir s'expliquer.
6. Pour le fils, l'âge de raison c'est
   ☐ pouvoir faire des bêtises.
   ☐ avoir sept ans.

6

J'avais perdu la sécurité de l'enfance ; en échange je n'avais rien gagné. L'autorité de mes parents n'avait pas fléchi et comme mon esprit critique s'éveillait, je la supportais de plus en plus impatiemment. Visites, déjeuners de famille, toutes ces corvées que mes parents tenaient pour obligatoires, je n'en voyais pas l'utilité. Les réponses : « Ça se doit. Ça ne se fait pas », ne me satisfaisaient plus du tout.

Simone de Beauvoir,
Mémoire d'une jeune fille rangée, Gallimard.

POUR S'EXPRIMER

6

CLASSEMENT

« *Tout, en moi, est discordance et combat* » : relevez dans le texte **5** les oppositions entre :
le monde de l'enfance (ex. : *le cœur d'un enfant*) et le monde de l'adulte (ex. : *la voix grave d'un homme*).

7

IMAGES

Observez le jeune homme du tableau de Modigliani et la jeune fille sur le banc.
En quoi se ressemblent-ils ? En quoi sont-ils différents ?

8

POINT DE VUE

Lisez le texte de Simone de Beauvoir (texte **6**). Ses parents semblent avoir commis une erreur dans leurs rapports avec leur fille. Laquelle ?
Pensez-vous que les parents contemporains commettent la même erreur ou bien qu'ils ont modifié leur comportement ?

9

IMAGINEZ

Regardez le dessin **4** et imaginez la réponse de Jean-Marc.

10

À VOTRE AVIS

1. Quels sont, selon vous, les avantages et les inconvénients de l'adolescence ?
Aidez-vous de la grille ci-dessous et des textes **3**, **5** et **6**.

| Physique | Caractères Pensées | Activités | Distractions | Relations avec | | Vie matérielle |
				Famille	Autres	

2. Partagez-vous l'avis de Paul Nizan dans le texte **3** ? Pourquoi ?

2 Instantanés

7 Bonnes relations avec les parents

Vous entendez-vous bien avec votre mère ?		
oui, très bien	55 %	} 96 % bien
oui, plutôt bien	41 %	
non, plutôt mal	2 %	} 3 % mal
non, très mal	1 %	
ne se prononcent pas	1 %	

Vous entendez-vous bien avec votre père ?		
oui, très bien	47 %	} 83 % bien
oui, plutôt bien	36 %	
non, plutôt mal	6 %	} 7 % mal
non, très mal	1 %	
ne se prononcent pas	10 %	

I.F.O.P.E.T.M.A.R.

Les résultats de ce sondage, effectué par l'I.F.O.P.E.T.M.A.R., à la demande de *la Vie*, proviennent de questions posées à un échantillon national représentatif de 292 adolescents âgés de 13 à 17 ans. Interrogés à domicile par voie d'enquêteurs, entre le 1er et le 8 février 1982.
Deux questions ont été également posées à 302 parents d'adolescents, âgés de 13 à 17 ans, dans le cadre des enquêtes nationales hebdomadaires Fréquence 8 de l'I.F.O.P.E.T.M.A.R., entre le 3 et le 10 février 1982.

8 SONDAGE

Première question :
QU'EST-CE QUI TE PLAÎT LE PLUS CHEZ TES PARENTS ?
1. Tu sens qu'ils t'aiment	60 %
2. Ils te font confiance	56 %
3. Ils s'intéressent à toi	51 %
4. Ils ne sont pas sévères	42 %
5. Ils tiennent leurs promesses	41 %
6. Tu peux leur parler de tes problèmes	39 %
7. Ils te donnent assez d'argent	36 %
8. Ils ont l'esprit jeune	26 %

Deuxième question :
QU'EST-CE QUI TE DÉPLAÎT LE PLUS CHEZ TES PARENTS ?
1. Tu ne peux pas leur parler de tes problèmes	21 %
2. Ils ne te donnent pas assez d'argent	17 %
3. Ils sont trop sévères	17 %
4. Ils sont vieux-jeu	16 %
5. Ils ne te font pas confiance	10 %
6. Ils sont indifférents envers toi	5 %
7. Ils manquent de sincérité avec toi	4 %
8. Ils manquent de tendresse	2 %
9. Aucun défaut à signaler	40 %

France-soir, 29 septembre 1981.

9 Le budget des 15-18 ans. Sondage à réponses multiples

15 ans		18 ans	
Garçons	**Filles**	**Garçons**	**Filles**
1. Sorties ciné, restau : 32,5 %	Vêtements : 30 %	Sorties ciné, restau : 57,5 %	Sorties ciné, restau : 37,5 %
2. Cigarettes : 22,5 %	Sorties ciné, restau : 30 %	Cigarettes : 32,5 %	Vêtements : 30 %
3. Café, jeux : 20 %	Disques : 30 %	Café, jeux : 25 %	Cigarettes : 27,5 %
4. Essence : 20 %	Café, jeux : 30 %	Vêtements : 20 %	Café, jeux : 22,5 %
5. Nourriture : 17,5 %	Livres, journaux : 20 %	Essence : 17,5 %	Nourriture : 17,5 %
6. Livres, journaux : 15 %	Cigarettes : 20 %	Disques : 15 %	Livres, journaux : 12,5 %
7. Disques : 12,5 %	Cadeaux : 20 %	Livres, journaux : 10 %	Beauté : 12,5 %
8. Vêtements : 7,5 %	Nourriture : 17,5 %	Transports : 5 %	Cadeaux : 10 %

N.B. : La rubrique café, jeux indique les dépenses effectuées dans les cafés pour boire et jouer aux jeux électroniques (flipper...). Plus on grandit, plus les achats se concentrent sur quelques grands postes (sorties, cigarettes, vêtements, café).

Source : Cabinet Marc Gilles, 1982.

POUR S'EXPRIMER

11 SONDAGE-DÉBAT

Lisez attentivement les tableaux **7** et **8**.
1. D'après ces tableaux, les jeunes Français s'entendent-ils bien avec leurs parents ?
2. Quel est le problème le plus important pour ces adolescents ?
3. Quelle est la situation dans votre pays ?
En groupe, comparez vos résultats et discutez-en.

12 SONDAGE

Lisez attentivement le tableau **9**.
1. Les filles sortent-elles plus à 18 ans qu'à 15 ans ? À votre avis pourquoi ? Est-ce la même chose dans votre pays ?
2. Les garçons lisent-ils plus à 15 ans ou à 18 ans ? Comment expliquez-vous cette différence ?
3. Observez les différences de dépenses entre filles et garçons. Pouvez-vous les expliquer ?

DIS - MOI CE QUE TU MANGES...

3

Les Plaisirs de la Table

SCIENCE OBLIGE. — « Je vous en prie, Monsieur Casimir, vous qui êtes si bon chirurgien, découpez donc le poulet! »

(Dessin d'Ymer.)

3 Démarrage

TRADITION ET QUALITÉ

1 Le jour où l'économiste est venu nous voir, nous faisions justement nos confitures de cassis, de groseilles et de framboises.

L'économiste a commencé de m'expliquer avec toutes sortes de mots, de chiffres et de formules, que nous avions le plus grand tort de faire nos confitures nous-mêmes, que c'était une coutume du Moyen Âge, que, vu le prix du sucre, du feu, des pots et surtout de notre temps, nous avions avantage à manger les bonnes conserves qui viennent des usines.

« Attendez, Monsieur, lui ai-je dit. Le marchand me vendra-t-il ce que je tiens pour le meilleur et le principal ?

– Quoi donc ?

– Mais l'odeur, Monsieur, l'odeur ! Respirez ! La maison tout entière sent bon. Comme le monde serait triste sans l'odeur des confitures ! [...]

Ici, Monsieur, nous faisons nos confitures uniquement pour le parfum. Le reste n'a pas d'importance. Quand les confitures sont faites, eh bien ! Monsieur, nous les jetons ! »

D'après G. Duhamel, *Fables de mon jardin*, **Mercure de France.**

LEXIQUE	
	vu : en raison... étant donné...
des confitures : des fruits que l'on fait cuire avec du sucre, ce qui permet de les conserver longtemps	**ce que je tiens pour le meilleur :** ce que je crois être le meilleur
une formule : ici, résultat d'un calcul mathématique	**jeter :** ici, mettre à la poubelle
une coutume : une habitude	
le Moyen Âge : période historique en Europe, qui va du cinquième au quinzième siècle	**2**
	un artisan : quelqu'un qui travaille de ses mains, ici un boulanger

2 Je suis un artisan [...]. Le pain, c'est simple, c'est de la farine et de l'eau. Mais pas n'importe quelle eau, pas n'importe quelle farine. Aujourd'hui, on voit du pain dans les poubelles, parce qu'il n'est pas bon [...]. Moi je choisis ma farine [...].

« À une époque, on a déconseillé aux gens de manger du pain et on leur faisait acheter des biscottes. C'est une erreur [...]. Depuis, on a fait des études et on sait ce qu'il y a dans le grain de blé. Tout ce qui est bon pour la vie [...]. Mon pain fait grossir les maigres et maigrir les gros !

Max Poilâne, *L'Express,* **26.10.84**

1

Texte 1

1. Pour quelles raisons l'économiste conseille-t-il de manger des conserves faites en usine ?

2. Pourquoi l'auteur du texte n'est-il pas d'accord avec l'économiste ?

2

Aujourd'hui, beaucoup d'aliments sont fabriqués industriellement. D'après les textes **1** et **2**, et d'après vous, quelles sont les différences entre un produit artisanal et un produit industriel :

a. Le prix, la qualité des matières premières utilisées ?

b. Le soin, l'hygiène, le temps apportés à la fabrication ?

c. La présentation, la qualité, le prix du produit fini ?

3

1. À quelle personne sont écrits ces deux textes ? Relevez les pronoms personnels qui l'indiquent.

2. Ces textes expriment-ils une opinion générale ou personnelle ?

3. La dernière phrase de chaque texte est-elle une conclusion logique ? Pourquoi ?

4

Observez la photo du boulanger et celle des pains. Quel est le nom du pain que fait ici le boulanger ? Sur l'autre photo, retrouve-t-on ce pain ?

3 Grammaire

Genre et nombre dans le groupe du nom

Masculin ou féminin

A. La nouvelle marchande vend des casseroles et des assiettes.

B. Le nouveau marchand vend des boutons et des rubans.

■ Tous les noms ont un genre : ils sont **masculins (B)** ou **féminins (A)**. Pour les personnes, le genre indique le sexe : masculin pour les hommes, féminin pour les femmes. Pour les choses, le genre est arbitraire.

■ **Les noms de métiers** ont souvent un masculin **(B)** et un féminin (qui se forme dans les cas simples en remplaçant la terminaison -er par -ère). Exemple : *un cuisinier, une cuisinière.*

■ **Les noms d'objets** qui se terminent par un -e muet sont souvent féminins : *une casserole, une assiette*, mais il existe de nombreuses exceptions : *un arbre, un livre*. Les noms d'objets ou d'êtres qui ne se terminent pas par un -e muet sont souvent masculins : *un bouton, un lapin, un rateau, un mot* (mais *une chanson, une solution,*...).

■ Dans le groupe du nom, le déterminant indique le genre au singulier *(la, le)* ; l'adjectif *(nouvelle, nouveau)* se met au même genre que le nom (**A** et **B**).
Remarque : C'est quelquefois le participe passé dans le groupe du verbe qui indique le genre du nom sujet. Exemple : *l'économiste est venu* (c'est un homme), *est venue* (c'est une femme).
ORTHOGRAPHE : pour connaître le masculin des noms et des adjectifs, il faut penser au féminin. S'il y a une consonne non prononcée au masculin, elle est sonore au féminin. Exemple : *longue → long ; marchande → marchand ; candidate → candidat.*

1

Relevez dans le texte 1 tous les mots introduits par un déterminant qui marque le masculin *(un, le, du, au)* et tous ceux introduits par un déterminant qui marque le féminin *(une, la)*. Deux termes au pluriel ont leur genre indiqué par un adjectif ou un participe passé, lesquels ?

2

Concours.
a. (facile) L'étudiant A propose un mot ; l'étudiant B répond par un nom qui rime avec le premier et est du même genre grammatical. L'étudiant A parle dix fois le premier puis l'étudiant B propose dix mots. On chronomètre.
b. (difficile) L'étudiant A doit trouver dix mots masculins se terminant par un *e* muet, l'étudiant B doit trouver dix mots féminins ne se terminant pas par un *e* muet. On chronomètre.

Singulier ou pluriel

A. **Les terribles voleurs** ont emporté **les meubles, les pots, les draps**...

B. Le fermier a acheté **des veaux, des chevaux** et **des choux.**

C. Avec **leurs faux nez, les enfants** n'ont pas pu manger **les noix** et ils n'ont pas senti **les gaz** toxiques.

D. Tous **les samedis, les Lenoir** vont à la campagne.

■ Le pluriel des noms se fait en ajoutant un *s* au singulier. Ce *s* ne s'entend généralement pas à l'oral (sauf dans certaines liaisons). Les déterminants montrent et font entendre le pluriel ; les adjectifs prennent la marque du pluriel : *les bonnes conserves* **(A)**.

■ La plupart des mots terminés par un -u *(-au, -eu, -eau, -ou)* prennent un *x* à la place du *s* ; le *x* ne se prononce pas **(B)** : *un cheveu, des cheveux ; un cadeau, des cadeaux ; un genou, des genoux.*

■ Les mots terminés en -al au singulier ont le pluriel en -aux : *un journal, des journaux* **(B)**.

■ Les mots terminés par -s, -x, -z ont la même forme au singulier et au pluriel : *un pas, des pas ; un choix, des choix ; un gaz, des gaz.*

■ Les noms propres peuvent être précédés d'un article au pluriel, mais ils sont invariables **(D)**. Les noms de jours ne sont pas des noms propres : ils s'écrivent avec une minuscule et prennent un *s* **(D)**.

Les déterminants

les articles

			Définis			
	Indéfinis		simples		contractés (avec *à* et *de*)	
S	masc.	fém.	masc.	fém.	masc.	fém.
I N G.	un	une	le(l')	la (l')	*à* + **le → au** *de* + **le → du**	
P L U R.	des		les		*à* + **les → aux** *de* + **les → des**	
	masc.	fém.	masc.	fém.	masc.	fém.

les adjectifs possessifs

singulier		pluriel
masculin	féminin	
mon	ma / mon + voyelle	mes
ton	ta / ton + voyelle	tes, ses
son	sa / son + voyelle	nos
notre, votre, leur		vos, leurs

les adjectifs démonstratifs

singulier	masculin féminin	ce, cet cette
pluriel	masculin féminin	ces ces

Remarque : Les adjectifs possessifs s'accordent pour la personne avec le possesseur et en genre et en nombre avec le substantif qu'ils déterminent. Exemple : *Je range mon sac et mes chaussures, tu me donnes ta valise et tes skis.*

3

Mettez au pluriel les groupes suivants. Lisez-les à haute voix au singulier et au pluriel ; dites combien d'éléments changent à l'écrit, à l'oral. Poursuivez l'exercice en proposant vous-même des groupes avec un déterminant, un nom et un adjectif.

groupe du nom au singulier	groupe du nom au pluriel	différences	
		à l'écrit	à l'oral
a. une biscotte cassée	→ des biscottes cassées	3	1
b. cette grande usine	→		
c. une formule économique	→		
d. l'acteur principal	→		
e. du pain frais	→		
f. ton maigre salaire	→		
g. notre cheval gris	→		

4

Trouvez dans le texte 1 un mot qui prend un *x* au pluriel, un mot qui ne varie pas. Même chose pour le texte 2.

Pronoms possessifs et démonstratifs

A. Son pain fait grossir les maigres, **le mien** fait maigrir les gros.

B. Ces confitures sont bonnes ; **celles-ci** sont meilleures.

Lorsqu'on transforme le groupe nominal en pronom, il faut tenir compte du déterminant. À un groupe introduit par un adjectif démonstratif, correspond un pronom démonstratif **(B)**.

les pronoms possessifs

singulier		pluriel	
masculin	féminin	masculin	féminin
le mien	la mienne	les miens	les miennes
le tien	la tienne	les tiens	les tiennes
le sien	la sienne	les siens	les siennes
le nôtre	la nôtre	les nôtres	
le vôtre	la vôtre	les vôtres	
le leur	la leur	les leurs	

les pronoms démonstratifs

formes simples	singulier	pluriel
masculin	**celui**	**ceux**
féminin	**celle**	**celles**
neutre	**ce**	

Les formes composées, ce sont les formes simples + **-ci** ou **-là**.

Remarque : Les formes du pronom démonstratif s'emploient devant un pronom relatif : *Celui qui mange du pain se porte bien,* ou devant *de* + nom : *Mes confitures sont délicieuses, celles de l'usine ne sont pas bonnes.*

5

L'étudiant A fait de la réclame pour ses produits. Il emploie des adjectifs possessifs : *« Mes cerises sont mûres ».* **L'étudiant B qui discute avec lui répond en employant des pronoms possessifs :** *« Les miennes sont très sucrées. »* **Continuez. L'étudiant A est une fille, est un garçon... Est-ce que les phrases produites sont différentes ?**

6

Chaque étudiant de la classe désigne un de ses camarades par un trait distinctif : *« Je pense à celui qui arrive toujours en retard ».* **L'étudiant qui se reconnaît se lève. Même exercice pour les objets :** *« Je veux ce qui sert à écrire et qui est en bois ».* **L'étudiant qui devine fournit l'objet.**

POUR ÉCRIRE SANS FAUTE

A. Mon pain fait grossir les maigres et maigrir les gros.

B. Son fils ne sait pas compter.

Écoutez l'enregistrement et relevez les consonnes muettes.

Ne se prononcent pas, par exemple :
- le *s* et le *x* du pluriel **(A)** ;
- la dernière lettre des adjectifs masculins (gros) formés à partir d'un féminin sonore (grosse) ;
- certaines consonnes **(B)** placées dans une série de deux ou trois consonnes (fils, doigt ; temps, compter) ;
- la terminaison des verbes aux personnes *je, tu* (je sais, tu veux) il (il fait, il entend), ils (ils voient).
- Certaines consonnes ne s'entendent que dans les liaisons : *de bons amis.*

7

Dans le texte 1 de la page 24 combien y-a-t-il de -*s*, -*t*, -*d*, -*n* qui s'écrivent mais ne se prononcent pas ? Quels sont ceux qui se prononcent dans une liaison ?

8

Écrivez, (sans compter sur vos doigts !), les nombres de 20 à 29.

Dis-moi ce que tu manges...

3 Instantanés

Â VIE NOUVELLE,
« NOUVELLE CUISINE »

3 Restaurant d'autrefois...

... Autrefois, cuisiniers et cuisinières vous receviez dans un cadre simple et comme ils vous auraient reçu dans leur propre intérieur avec le désir de vous faire plaisir. Ils n'avaient pas de souci de comptabilité. On s'y retrouvait parce que l'on comptait son temps pour rien, parce que l'on rattrapait sur les petits verres ce que l'on pouvait perdre sur la volaille. D'ailleurs celle-ci venait souvent de la basse-cour, les œufs du poulailler, les légumes du jardin, les poissons de la rivière proche. Et il y avait les jambons au plafond et du vin et du cidre à la cave. À la fin du repas, on s'excusait presque de présenter une modique addition. L'hôte ou l'hôtesse faisaient la cuisine eux-mêmes : on les appelait le Père, la Mère Untel...

D'après la revue *Tendances*.

4 Notre manière de vivre a changé

Notre comportement alimentaire a changé. Dorénavant, le repas de midi se réduit souvent à satisfaire sa faim au plus vite (et à moindres frais), le plaisir du « bien manger » se reportant sur le repas du soir ou des week-ends.

Dans le même temps, surtout en ville, la consommation alimentaire a connu une énorme évolution : on achète moins de produits bruts, légumes frais par exemple, pour donner la préférence aux produits élaborés, légumes tout coupés, conserves et surgelés. Enfin, l'industrie agro-alimentaire offre de plus en plus de plats prêts à réchauffer. Signe caractéristique : selon certaines enquêtes, de trois heures par jour dans les années trente, le temps de préparation des repas est passé aujourd'hui à trente minutes en moyenne.

Une évolution amorcée dans la capitale, et rapidement suivie par la province, où sont maintenant implantés deux fast-foods sur trois ? Ils grignotent le terrain autrefois occupé par les bistros et le traditionnel casse-croûte.

Prima n° 62, nov. 87.

LA FRAICHEUR MINUTE

free time

César 17 ans - Fils d'agriculteur
« Free Time ça vaut la cuisine de ma mère :
tout frais, jamais de réchauffé, et un goût !
Free Time ! sweet Free Time... »

PÂTAPOUF ?

OUF! PÂTE FINE !

NOUVEAU. PIZZA PÂTE FINE.

Findus

5 Qui sont les fastfoudeurs ?

C'est la question qu'ont posée les organisateurs du cinquième Salon de la restauration rapide à mille personnes interrogées sur le lieu même de leur crime. D'après leur enquête, 59 % des fastfoudeurs ont moins de 25 ans et 56 % sont des femmes. En majorité (68 %), les moins de 25 ans préfèrent le hamburger, tandis que les plus de 25 ans optent plutôt pour les viennoiseries. Les fastfoudeurs font preuve d'une remarquable assiduité : 56 % fastfoudent au moins une fois par semaine et 13 % tous les jours.

Prima, n° 62, nov. 87.

POUR S'EXPRIMER

5
NOTRE ÉPOQUE

« Notre comportement alimentaire a changé » (texte **4**).
1. Pouvez-vous dire ce qui a changé ?
2. Trouvez les raisons du changement : quelle relation pouvez-vous établir avec le lieu de travail et le lieu où l'on habite, avec les horaires de travail, avec l'importance accordée aux loisirs ?

6
TEST-DÉBAT

1. Quelle importance accordez-vous aux repas ?
a. Les repas sont pour vous
☐ une nécessité physique.
☐ un moment de plaisir.
☐ une détente.
b. Aller au restaurant, c'est
☐ une fête.
☐ une sortie comme une autre.
☐ une dépense inutile.

c. Au restaurant, vous recherchez
☐ la qualité.   ☐ la quantité.
☐ les plats simples.   ☐ les plats élaborés.
☐ les plats connus.   ☐ les plats exotiques.
☐ la nouvelle cuisine.   ☐ la cuisine traditionnelle.
d. Si vous faites la cuisine, c'est pour vous
☐ une corvée.
☐ un passe-temps.
2. Comparez vos réponses avec celles de vos voisins.
Pouvez-vous définir à partir de ces résultats plusieurs types de comportement ?

7
IMAGES-DÉBAT

Observez le sandwich de la publicité de Free-Time, restauration rapide à la française, et celui de la photo, restauration rapide à l'américaine.
1. Quelles différences notez-vous entre :
– les deux sandwichs,
– l'expression des deux consommateurs.
2. Pourquoi ces différences, à votre avis ?

Dis-moi ce que tu manges...

3 Instantanés

Celui qui me met en forme

Job

Un petit déjeuner
à 600 calories environ.

1 verre de jus d'orange
1 tartine de pain complet
12,5 g de beurre
20 g de miel
1 brioche ou 1 croissant
Thé ou café sucré.

Celui qui prend soin de mes formes

Ligne

Un petit déjeuner
à 330 calories environ.

1 fruit frais
2 tartines de pain complet
15 g de beurre allégé
1 œuf
1 yaourt 0 %
Thé ou café non sucré.

Celui qui cultive ma forme

Sport

Un petit déjeuner
à 850 calories environ.

1 fruit frais
2 tartines de pain complet
12,5 g de beurre
30 g de confiture
1 bol de muesli au lait
1 yaourt nature
1 œuf
Thé ou café sucré.

POUR S'EXPRIMER

8
MODES DE VIE

Observez les cartes de petit-déjeuner.
À quel petit déjeuner va votre préférence ? Pourquoi ?

9
DÉFINITIONS

En France on peut manger dans :
une cantine, un restaurant d'entreprise, une cafétéria, une brasserie, un café, un bistrot, un restaurant, un fast-food...
1. Dans cette liste, quels mots correspondent à l'endroit où l'on peut manger sur son lieu de travail ? Lesquels désignent des endroits où vous irez dîner avec des amis ? Dans quels endroits est-il possible de manger seulement un sandwich ?
2. Y a-t-il la même chose dans votre pays ?

10
À VOTRE AVIS

Quels reproches fait-on le plus souvent aux fast-foods ?
Ces reproches sont-ils justifiés ?

11
IMAGINEZ

Si Hagar Dunor (document **6**) habitait votre pays, quel animal serait son fast-food ?

À L'ÉCOUTE DE...

Écoutez le texte. Répondez ensuite aux questions.
1. Le beurre est-il bon ? Pourquoi ?
2. Le beurre est-il dur ou mou ?
3. Quelles sont les trois régions de France citées, célèbres pour leur beurre ? Situez-les sur la carte de France.
4. Quel beurre le mari préfère-t-il ?

6

HAGAR DUNOR le VIKING

BAH ! LAISSONS TOMBER ! DE TOUTES FAÇONS, J'EN AI ASSEZ DE CES FAST FOODS ! !

distribué par AGEPRESSE   DIK BROWNE 7-29 © 1985 King Features Syndicate, Inc. World rights reserved.

374

QUE CHOISIR ?

4

A FOND
LA PUB !

A FOND
LA CAISSE !

4 Démarrage

POUR OU CONTRE LA PUB

1 À bas les discours, vive le slogan !
N'en déplaise aux publiphobes, une nouvelle culture est née. Qui ne se préoccupe pas seulement de faire vendre.

2 Le regard émerveillé de l'enfant à la découverte du monde est partout et à tout moment envahi par l'imagerie publicitaire. Dès son plus jeune âge, il entre ainsi dans le circuit de la consommation [...] Les enfants sont aujourd'hui susceptibles d'influencer, de modifier dans une très grande mesure les habitudes alimentaires familiales. Sans condamner la publicité, dont le rôle d'information ne peut être mis en cause, il importe cependant de démystifier certaines méthodes abusives [...] Une boisson à la mode procure-t-elle vraiment l'optimisme et la joie de vivre ?

**Jean Lavanchy, *Vie et Santé*, fév. 76,
extrait de « L'enfant consommateur ».**

3 (Dans le métro...)
Ici règne la publicité. Les hommes s'y trouvent enfermés comme des rats dans des couloirs. On leur met des couleurs, des images, des mots plein les yeux sans qu'ils puissent s'échapper.
La publicité est devenue écologique et sexuelle. Chaussettes, télévision ou machine à laver, on y met de l'herbe verte, du ciel bleu et des blés dorés, au point que le trajet le long des quais et des couloirs de métro ressemble à une promenade à travers champs ! L'autre appel, c'est la femme. Femme à la maison préparant de bons petits plats ou berçant ses enfants, femme élégante, provocante, présentant n'importe quoi, mais d'abord elle-même. La femme et la nature sont aujourd'hui des « choses », des supports publicitaires.

D'après Michel Jobert, Le Monde.

LEXIQUE	
1 **n'en déplaise** : même si cela ne plaît pas. **2** **émerveillé** : plein d'admiration **envahi** : occupé (de force) **le circuit de la consommation** : la chaîne qui va de la production à la consommation (utilisation) des produits **ils sont susceptibles de...** : ils peuvent, ils ont la possibilité de... **modifier** : changer **démystifier** : expliquer clairement **abusives** : exagérées	**3** **la publicité règne** : la publicité est reine, elle est partout **s'échapper** : prendre la fuite, se sauver **écologique** : ici, qui parle de la nature **le trajet** : ici, le chemin que les gens doivent suivre **provocante** : qui encourage le désir **des supports publicitaires** : les moyens que la publicité utilise pour faire vendre un produit

POUR MIEUX COMPRENDRE

1

Lisez le texte **1** (« *À bas les discours* »...), ainsi que le slogan de la publicité Polaroïd. En quoi le slogan de cette publicité « vaut mieux qu'un discours » ? De quelle langue s'agit-il ?

2

Textes 1, 2 et 3

1. Dans le texte **3**, à quoi est comparée la publicité ? Si la publicité « ne se préoccupe pas seulement de faire vendre », de quoi se préoccupe-t-elle à votre avis ?

2. Trouvez dans les textes **1** et **2** les mots qui caractérisent la publicité et ses méthodes.

3. D'après le texte **3**, quels sont les supports préférés de la publicité ?

3

« *Le regard (...) de l'enfant (...) est envahi par l'imagerie publicitaire* » (texte **2**).

Cochez les phrases exactes :

1. Pour influencer les enfants, la publicité s'adresse en priorité à :
☐ leurs goûts alimentaires.
☐ leur regard.
☐ leur besoin de possession.

2. L'enfant trouve la publicité :
☐ trop envahissante.
☐ instructive.
☐ merveilleuse.

3. Pour influencer les adultes, les publicistes utilisent :
☐ leur besoin de possession.
☐ leurs goûts.
☐ leurs enfants.

4. D'après l'auteur, il faut :
☐ condamner la publicité.
☐ se méfier de la publicité.
☐ avoir confiance dans la publicité.

4

À partir des textes et aussi de votre expérience, classez les aspects positifs et négatifs de la publicité.

4 Grammaire

Pronoms personnels

(cf. *Bonne Route 1*, leçon 31.)

A. Les enfants et la nature sont aujourd'hui des choses ; **ils** servent de supports publicitaires (**ils** = les enfants et la nature).

B. Ici règne la publicité. Les hommes **s'y** trouvent enfermés (**y** = dans la publicité).

C. La mère s'occupe des enfants : **elle les** prépare et **elle leur** donne des biscuits.

■ Les pronôms remplacent des groupes nominaux. Si le pronom se substitue à plusieurs noms où figurent des masculins et des féminins **(A)**, même s'il n'y a qu'un nom masculin, c'est lui qui donne le genre. Exemple : *La mère, la fille, la cousine, le fils et la tante mangent ;* **ils** *sont contents.*

■ Les pronoms compléments se placent avant le verbe. On trouve donc souvent un pronom sujet suivi d'un pronom complément direct ou indirect **(C)**.

fonction personne		sujet	complément d'objet direct	complément d'objet indirect (construction avec *de, à*)	forme tonique (seule ou après préposition)
S I N G.	1re	je	me, m'	me	moi
	2^e	tu	te, t'	te	toi
	3^e	il elle on	le, l', se, s' la, l', se, s' le, la, l', se, s'	lui, se, s' en, y	lui elle lui, elle, soi
P L U R.	1re	nous	nous	nous	nous
	2^e	vous	vous	vous	vous
	3^e	ils elles	les, se, s'	leur, se, s' en, y	eux elles

1

a. Relevez dans le texte 3 tous les pronoms personnels. Sauf pour *on*, dites quel groupe du nom ils remplacent et quelle est leur fonction dans la phrase.
b. Ce texte comporte trois groupes de deux pronoms qui se suivent. Observez-les. Quels sont les deux groupes qui comportent un pronom complément circonstanciel de lieu ? Quelle est sa place ? Quel est celui qui comporte un complément d'objet indirect ? Quelle est sa place ?

2

Lisez le texte suivant et relevez-y les pronoms personnels.
Le « bébé » de Lansay est très bavard ; il dira « coucou » ou bien « prends-moi dans tes bras » à la petite fille qui l'adoptera le jour de Noël. Sa voix est celle d'un enfant de trois ans. L'infatigable poupée emploie les dix-sept phrases mémorisées dans la puce électronique cachée dans son ventre. Quand un bruit la réveille, elle réclame ses jouets ou son biberon, qu'elle tète bruyamment. Et puis, elle bat des paupières, dit « j'ai sommeil, bonne nuit » et s'endort... enfin silencieuse !
Quels sont les pronoms personnels qui remplacent le « bébé » de Lansay ? **Quels sont les pronoms personnels qui remplacent** l'infatigable poupée ?

Le conditionnel présent

A. Cette boisson **donnerait** la joie de vivre (mais on n'en est pas sûr).

B. Si vous preniez cette boisson, elle vous **donnerait** la joie de vivre.

C. Pierre était sûr que les enfants **voudraient** boire le soda qui donne la joie de vivre.

Formation

Le conditionnel présent se forme en ajoutant les terminaisons de l'imparfait *(-ais, -ais, -ait, -ions, -iez, -aient)* à l'infinitif du verbe (donner + *-ais* = je donnerais).

■ Les verbes en *-eler, -eter, -yer* ont pour radical leur radical de la 3e personne du singulier de l'indicatif présent : *il jette* (indicatif présent) → *il jetterait ; il balaye* ou *il balaie* (indicatif présent) → *il balayera* ou *il balaiera*.

■ Pour tous les verbes, le radical est le même que celui du futur :
il pourra (futur) → *il pourrait* (conditionnel présent).

conditionnel présent des verbes irréguliers				
avoir il aurait	être il serait	aller il irait	devoir il devrait	faire il ferait
pouvoir il pourrait	savoir il saurait	voir il verrait	venir il viendrait	vouloir il voudrait

Emplois

■ Employé seul, le conditionnel présente un événement comme **imaginaire** ou **supposé (A)**. Exemple : *J'ai acheté une boisson qui donnerait la joie de vivre (c'est ce que prétend le marchand).*

■ Employé dans la principale alors que la subordonnée est construite avec *si* + indicatif imparfait, le conditionnel présente un événement dépendant d'une condition **(B)**.

■ Employé dans une subordonnée dépendant d'un verbe au passé, le conditionnel exprime une notion de futur par rapport à un moment passé. Exemple : *Je savais que les enfants voudraient acheter cette boisson. (Je sais que les enfants voudront acheter cette boisson.)*

présent	futur	imparfait	conditionnel présent	présent
je sais	ils voudront	je savais	ils voudraient	(moment où je parle)

Si j'achetais ce shampooing, mes cheveux repousseraient...

3

Vous faites partie d'une association de consommateurs. Les associés se réunissent et chacun présente un produit nouveau qu'il connaît mal : une poudre à laver, un rasoir, un shampooing, des couches pour bébé, une éponge miracle, etc. **Chacun évoque cinq qualités (ou défauts) révolutionnaires spécifiques au produit qu'il présente.** Exemple : *Voilà un shampooing extraordinaire qui mousserait à peine, éviterait de longs rinçages, ferait repousser les cheveux, etc.*

4

Passager à bord d'un paquebot, vous avez constaté le premier (la première) que le naufrage était proche. Racontez ce que vous avez observé, ce que vous avez fait, ce que vous avez dit au commandant. Exemple : *« Je savais que le bateau coulerait. Je voyais qu'il faudrait sauter à l'eau... »* **Continuez en employant au moins cinq conditionnels à valeur de futur du passé.**

5

On attaque beaucoup la publicité aujourd'hui : elle rend le consommateur bête et docile, elle règne partout, elle envahit la vie... Faites-vous le défenseur de la publicité (au nom de l'économie d'un pays, de la santé des entreprises, etc.). En commençant votre discours par « Si la publicité était interdite... », **employez au moins dix verbes au conditionnel.**

Comment écrire [j]

Nous regardions la télévision avec des yeux émerveillés.
Écoutez l'enregistrement. Où entendez-vous [j] ?

6

Complétez le tableau en cherchant dans les textes des mots avec le son [j].

[j] s'écrit		
« i »	« y »	« ill »
....	....	....

Quel est le cas le plus fréquent ?

7

Quelle remarque faites-vous à propos de *mille, ville* ? Comparez avec *famille, fille, billet*.

4 Instantanés
PUBLICITÉ
ET CONSOMMATION

Plus une eau circule vite, mieux elle nettoie.

VITTEL

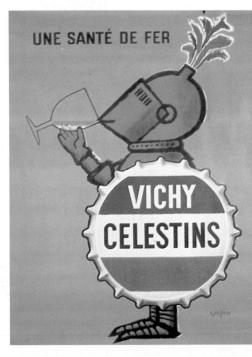

UNE SANTÉ DE FER

VICHY CELESTINS

Perrier c'est fou...

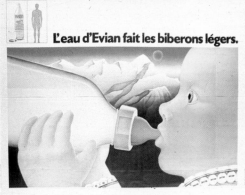

L'eau d'Evian fait les biberons légers.

4

Il est un métier que nous exerçons tous, et tout au long de notre vie, sans l'avoir jamais appris : celui de consommateur. Or, aujourd'hui, c'est un art bien difficile que de choisir ce qu'on achète. Il n'y a plus, dans de nombreux domaines, le moindre rapport entre la qualité et le prix.

Un exemple : l'eau potable est vendue au robinet ou en bouteilles. En bouteilles, elle coûte environ mille fois plus cher. À cela près, il n'y a pas de différence sensible entre l'une et l'autre, sinon que l'eau en bouteilles est de moindre qualité bactériologique. Mettez dix minutes au réfrigérateur un verre d'eau minérale non gazeuse et un verre d'eau du robinet, et essayez de les distinguer l'un de l'autre au goût... Et pourtant, des consommateurs acceptent de payer mille fois plus cher, sans hésiter, un produit de moins bonne qualité ! C'est que dans le prix entre, dans une proportion plus ou moins grande, une part de rêve, d'illusion ou de prestige social.

D'après Pierre Viansson-Ponté,
Le Monde, 11 et 12 mars 1979.

5

Les folies de l'emballage

Jadis l'emballage servait à envelopper la marchandise à seule fin d'en assurer la manipulation et la conservation ; désormais il fait partie du produit (...) Pour la plus ordinaire des marchandises, il faut prévoir des conditionnements qui deviennent de véritables machines : bombes aérosols, bouchons verseurs, bec « auto-dosant », boîtes « auto-ouvrantes », ampoules « autocassantes »... Un emballage ne suffit plus, il en faut généralement deux ou trois superposés : la bouteille dans le coffret, le coffret dans la boîte, la boîte dans le papier. Le moindre de nos produits finit par être emballé comme une « momie ». Qu'importe ! Puisque c'est l'accessoire qui fait vendre, c'est lui qu'il faut soigner en priorité.

François de Closets, *Le bonheur en plus,* Denoël

Tour Eiffel - Au bon Marché

POUR S'EXPRIMER

5
IMAGES

Observez les quatre publicités pour des eaux minérales. D'après les images et les slogans, dites quelles sont les qualités de chacune de ces eaux.

6
ARGUMENTEZ

« L'eau potable est vendue au robinet ou en bouteilles » (texte **4**).
1. Pour l'auteur, qu'est-ce qui pousse les consommateurs à acheter de l'eau en bouteilles ?
2. Quels arguments pouvez-vous trouver pour défendre l'eau minérale ?

7
IMAGINEZ

1. À quelle publicité présentant la Tour Eiffel va votre préférence ?
2. Pour quel(s) autre(s) produit(s) utiliseriez-vous l'image de la Tour Eiffel ? Et comment ?

8
À VOTRE AVIS

« Le moindre de nos produits (ressemble) à une momie » (texte **5**). L'emballage d'un produit vous semble-t-il essentiel ?
Accordez-vous de l'importance à :
son esthétique, son côté pratique, son coût éventuel ?

4 Instantanés

6 PUB TÉLÉ : OUI MAIS...

Selon un sondage effectué par la SOFRES, 71 % des personnes interrogées estiment qu'il y a trop de publicité à la télévision. En bref, explique la SOFRES, la télévision commerciale grande diffuseuse de publicité est assez mal acceptée. D'ailleurs 67 % pensent que la publicité ne permet pas à TF1 d'être meilleure que ses concurrents.

Mais c'est surtout l'interruption des films qui provoque l'hostilité de 84 % des Français alors qu'ils la tolèrent pour les variétés ou le sport. 74 % approuvent les auteurs qui s'opposent à la coupure de leurs films.

Face à la publicité, la résistance passive s'organise donc. Si 29 % des téléspectateurs regardent les écrans publicitaires, 40 % font autre chose, 25 % discutent et 18 % « zappent ».

La Montagne, supplément Économie, 17.03.88.

POUR S'EXPRIMER

9 TEST

Êtes-vous publiphile (pour la publicité) ou publiphobe (contre la publicité) ? Pour le savoir répondez :
1. Quand la publicité apparaît à l'écran,
a. vous la regardez.
b. vous changez de programme.
c. vous en profitez pour aller faire autre chose.
2. Dans une publicité bien faite,
a. l'image et le son doivent amuser et/ou faire rêver.
b. le slogan est essentiel.
c. le produit seul doit être présenté.
3. Quand vous entendez la musique de certaines publicités,
a. vous fredonnez ou chantez.
b. vous baissez le volume de la télévision.
c. vous coupez le son.
Vous avez 3 c ? Vous êtes un publiphobe.
Vous avez 3 a ? Quel publiphile passionné !
Vous avez 3 b ? Êtes-vous aussi raisonnable que vous le dites ?

10 POINT DE VUE

Le texte **6** exprime l'opinion des Français sur la publicité à la télévision. Vous-même, que pensez-vous des coupures de film par la publicité ?

11 DÉBAT

D'après les textes, quelle image de la femme la publicité présente-t-elle ? Qu'en pensez-vous ?

 ## À L'ÉCOUTE DE...

1

Observez le tableau suivant.
Complétez-le pendant et après l'écoute.

	Publicité 1	Publicité 2
Nom du produit		
Nature du produit		
Quel(s) mot(s) ou quelle(s) expression(s) est/sont répété(e)(s) ?		

2

Réécoutez la publicité 2.

1. Pour se sentir bien, que faut-il faire ?
2. Dans la publicité, quelle est l'expression antonyme de « la ligne » ?

3

Réécoutez la publicité 2.

1. Quels produits sont vendus sous cette marque ?
2. Quand sont-ils consommés ?
3. Qu'est-ce qu'il est agréable de retrouver ?
4. Quel mot du document est l'antonyme de celui inscrit dans le tableau ?

MODE
OU MODES ?

5

5 | Démarrage

À CHACUN SON APPARENC

Un essayage chez un grand couturier.

1 L'automne fut doux, ensoleillé, et dura longtemps. Puis le froid vint avec des rafales de vent glacé. Pauline alla s'acheter un manteau. Elle en essaya plusieurs, dont un noir ; elle jugea qu'il la vieillissait ; elle dit à la vendeuse que sa fille n'aimait pas les couleurs sombres. Finalement, elle choisit une redingote vert pomme et elle tint à la garder sur elle. En revenant chez elle, elle se regarda dans les vitrines et se trouva satisfaite. Elle avait pris plaisir à faire cet achat.
Le lendemain et les jours suivants, elle en fit d'autres : un sac, des chaussures, une jupe et plusieurs chemisiers. Ses choix la portaient vers des vêtements de couleurs criardes, elle ne se souciait pas d'harmoniser les teintes.
Suzanne Prou, *Le voyage aux Seychelles*, Calmann-Lévy.

2 Les créateurs imposent trois tendances : la redingote, le pardessus masculin et le sept-huitième, qui correspondent à trois styles de femmes.
Pour les toutes jeunes [...] ce sont les redingotes, féminines et charmantes, à buste menu, à la taille serrée et à la jupe en corolle et à godets, écossaises, prince-de-galles ou à rayures. Pour la femme active, la « super-woman », c'est le pardessus, vaste, battant les mollets. Coupé dans des cachemires, des taupés, des mohairs marine, beige et chocolat.
Quant à celles qui aiment la mode avec passion, elles peuvent réveiller les petites robes noires et les ensembles gris souris de l'année dernière avec un sept-huitième.
Dominique Brabec, *L'Express*, sept. 1987.

LEXIQUE

1

des rafales : des coups de vent violents
une redingote : un manteau serré à la taille
elle ne se souciait pas : elle ne faisait pas attention à, elle n'accordait pas d'importance à...
harmoniser : créer un accord, un ensemble
les teintes : les couleurs

2

les créateurs : les couturiers qui imaginent de nouveaux modèles
le buste : la partie du corps qui va de la taille aux épaules
menu : étroit, mince
une corolle : l'ensemble des pétales d'une fleur
des godets : ici, des plis au bas d'une jupe
un ensemble : ici, plusieurs vêtements (veste et jupe ou pantalon) qui sont vendus pour être portés ensemble

1

DES MOTS

Dans les textes **1** et **2**, relevez les noms de vêtements et d'accessoires, ainsi que les noms de couleurs.

vêtements/accessoires	couleurs
manteau	noir

2

Relisez le texte **1** et choisissez la phrase correcte.

1. Pauline aime les teintes :
☐ vives.   ☐ pâles.
☐ foncées.

2. Elle achète un manteau vert parce que :
☐ elle veut plaire à son mari.
☐ sa fille aime cette couleur.
☐ les teintes sombres la vieillissent.

3. Pour les couleurs de vêtements,
☐ elle demande conseil à la vendeuse.
☐ elle ne se préoccupe pas de leur harmonie.
☐ elle cherche à les harmoniser.

3

Observez de nouveau les mots que vous avez relevés à l'exercice **1**, et, en groupe, cherchez d'autres noms de vêtements, d'accessoires et de couleurs.

4

Une redingote vert pomme (texte **1**). Quel est le féminin de « vert » ?
1. Qu'observez-vous dans l'exemple du texte ?

2. Utilisez, de la même manière, d'autres adjectifs de couleur accompagnés d'un qualificatif (sombre, foncé, clair, etc.) avec des noms au féminin et au pluriel.

5

Observez les dessins de mode. Choisissez celui que vous préférez et dites pourquoi. Par exemple : est-ce le plus pratique ? Le plus beau ? Le plus féminin ? Le plus original ?

6

À votre avis, Pauline (texte **1**) appartient-elle à un des trois types de femmes définis dans le texte **2** ? Peut-on dire qu'elle a du goût ? Qu'est-ce qui guide ses achats ?

5 Grammaire

Le passé simple

ÊTRE	AVOIR
je fus	j'eus
il/elle fut	il/elle eut
ils/elles furent	ils/elles eurent

FAIRE	RECEVOIR
je fis	je reçus
il/elle fit	il/elle reçut
ils/elles firent	ils/elles reçurent

AIMER	ALLER	DIRE
j'aimai	j'allais	je dis
il/elle aima	il/elle alla	il/elle dit
ils/elles aimèrent	ils/elles allèrent	ils/elles dirent

VENIR	VOULOIR
je vins	je voulus
il/elle vint	il/elle voulut
ils/elles vinrent	ils/elles voulurent

Formation

■ Souvent, le **radical du passé simple** est le même que celui du participe passé *(eu, aimé, dit, reçu)*.

■ La **terminaison de la 1re personne du singulier** est *-ai* pour les verbes en *-er* ; *-is, -us*, pour les autres, *-ins* pour *tenir, venir* et leurs composés.

■ La **terminaison de la 3e personne du singulier** est *-a* pour les verbes en *-er* ; *-it, -ut*, pour les autres, *-int* pour *tenir* et *venir*.

■ La **terminaison de la 3e personne du pluriel** est *-èrent* pour les verbes en *-er* ; *-irent, -urent*, pour les autres ; *-inrent* pour *tenir* et *venir*.

■ Le **passé simple** étant le temps du récit, seules les 3èmes personnes du singulier et du pluriel (cf. ci-dessus) sont aujourd'hui couramment employées.

1

Relevez dans le texte 1 tous les verbes au passé simple. À quel temps sont les autres verbes ?

2

Reprenez le récit de l'achat de la redingote dans le texte 1 et développez-le en employant dix verbes au passé simple (verbes suggérés : entrer, demander, passer, hésiter, retirer, poser, ressembler, vouloir, enfiler, se regarder, apprécier, aimer, rajeunir, regretter, décider, harmoniser, etc.**).**

Emploi

A. Elle jugea que ce manteau la vieillissait.

B. J'ai acheté un manteau il y a deux ans. Il était vert. Les jours suivants, **elle fit** d'autres achats.

■ **Le passé simple** présente **un événement passé, achevé,** qui n'est plus lié au présent de celui qui s'exprime. Il s'emploie donc surtout à l'écrit où il remplace le passé composé (temps encore lié au présent : **B**). Il permet de faire les récits (par opposition aux discours) ; c'est pourquoi la 3e personne est la plus employée **(C)**.

■ **Le passé simple** s'emploie à la place du **passé composé ;** on ne peut donc pas trouver ces deux temps dans le même texte.

■ **Le passé simple** s'emploie avec **l'imparfait (A)**. L'imparfait montre un événement en train de s'accomplir (on ne connaît ni son début ni sa fin). C'est le temps de la description, de l'évocation des sentiments alors que les actions de premier plan sont évoquées au passé simple.

ÉCRIT (récit : cf. **A**)		ORAL (discours : cf. **B**)	
Passé simple	Présent	Passé composé	Présent
elle jugea		*j'ai acheté*	

la vieillissait
Imparfait

qui était
Imparfait

3

Récrivez sous forme de récit au passé le 1er et le 3e paragraphes du texte 2.

4

Récrivez au passé la biographie de Napoléon. Vous emploierez des passés simples et des imparfaits selon le cas.
Napoléon 1er est originaire de Corse. Il est empereur des Français de 1804 à 1815. Dans sa jeunesse, alors qu'il n'est que général, il fait la guerre en Italie. C'est seulement lorsqu'il tente et réussit le coup d'État du 18 Brumaire (1799) qu'il devient le chef de la France. À ce moment-là, celle-ci est déjà en guerre contre la plupart des grands pays d'Europe, ce qui la conduit peu à peu au désastre. En effet, en 1814, Napoléon, qui depuis quelque temps ne subit que des défaites, doit abandonner le pouvoir. Mais il nourrit une confiance aveugle dans le destin et revient en France en 1814 pendant les Cent-jours. Prussiens et Anglais gagnent alors la bataille de Waterloo et l'empereur part pour un exil définitif dans l'île de Sainte-Hélène où il meurt en 1821.

Le, en, y pronoms

A. Pauline alla s'acheter un manteau ; elle **en** essaya plusieurs (= elle essaya plusieurs manteaux).

B. Elle n'harmonisait pas les teintes et ne s'**en** souciait pas (= elle ne se souciait pas d'harmoniser les teintes).

C. Pauline essaya le manteau noir et **le** reposa (= elle reposa le manteau noir).

D. Sa fille n'aimait pas les couleurs sombres ; elle **le** dit à la vendeuse (= elle dit à la vendeuse que sa fille n'aimait pas les couleurs sombres).

E. Elle entra dans un magasin et **y** essaya des manteaux (= elle essaya des manteaux dans un magasin).

F. Sa fille n'aimait pas les couleurs sombres ; elle **y** pensa en essayant le manteau noir (= elle pensa au fait que sa fille n'aimait pas les couleurs sombres).

■ *Le* peut remplacer un complément d'objet direct, que ce soit un groupe nominal **(C)** ou une proposition **(D)**.

En remplace un groupe nominal introduit par *de* ou par un déterminant partitif **(A)** ; il peut remplacer aussi une proposition qui serait introduite par *de* **(B)**.

Y remplace un groupe nominal complément circonstanciel de lieu **(E)** ou une proposition qui serait introduite par *à* **(F)**.

5

Le **peut être déterminant ;** *en* **peut être préposition. Cherchez un exemple de chacun de ces emplois dans le texte 1.**

6

Étudiant A : « *J'affirme que ce pantalon a changé de couleur* ». **Étudiant B :** « *... mon ami l'affirme parce qu'il était rose quand il l'a acheté et que maintenant il est vert* ». Poursuivez ce dialogue avec reprise de la première phrase par *le,* **suivie d'une justification en employant les verbes :** savoir, imaginer, penser, dire, maintenir, confirmer, soutenir, vouloir, souhaiter, demander, réclamer, désirer, etc.

7

Étudiant A : « *Maman, je voudrais une guitare...* ». **Étudiant B :** « *J'y songerai* ». **En une minute, B repoussera ou acceptera les demandes de A en employant les verbes et expressions suivants :** penser, réfléchir, rêver, consentir, souscrire, adhérer, s'intéresser à la question, accorder de l'attention, remercier, etc.

8

Étudiant A : « *Cette robe est...* ». **Étudiant B :** « *Je m'en contenterai...* ». **En utilisant les verbes suivants et en donnant des raisons, poursuivez la scène :** se moquer, s'arranger, s'inquiéter, se remettre, se soucier, s'accommoder, se satisfaire, se plaindre, s'affliger, s'occuper, etc.

Écrire [z] : *x, z* ou *s* ?

Ce musicien a écrit douze symphonies, c'est la deuxième que je préfère.
Écoutez l'enregistrement.
Où entendez-vous *-z-* ?

2

Écrivez en entier : 2e, 3e, 6e, 10e, 12e. Vous pouvez utiliser un dictionnaire ou chercher dans Bonne route 1. **Que remarquez-vous ?**

10

Cherchez des noms de nombres qui s'écrivent avec *-z-.*

11

Observez : musicien, voisin, musique, musée, cousin. **Comment prononce-t-on le** *s* ?
Quelle sorte de lettre y-a-t-il avant et après ?

12

L'Express est un magazine. Quelle remarque faites-vous sur le mot « magazine » ?

LES CAPRICES DE LA MODE

3

En 1674, Madame de Sévigné se moque d'une de ses amies...

... Elle a fait faire une jupe de velours noir avec de grosses broderies d'or et d'argent, et un manteau de tissu couleur de feu or et argent. Cet habit coûte des sommes immenses ; et quand elle a été bien resplendissante, on l'a trouvée mise comme une comédienne et on s'est si bien moqué d'elle qu'elle n'ose plus le remettre.

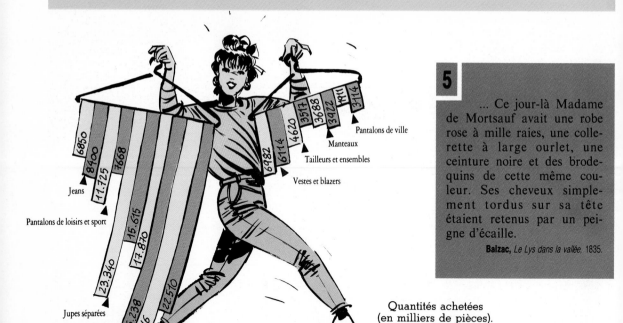

Jeans
Pantalons de loisirs et sport
Jupes séparées
Robes
Chemisiers et corsages

Pantalons de ville
Manteaux
Tailleurs et ensembles
Vestes et blazers

6850 / 8400 / 7668 / 11.725 / 15.615 / 17.876 / 23.340 / 26.238 / 28.716 / 27.570 / 6982 / 6114 / 4620 / 3557 / 3688 / 3922 / 4811 / 3114

Quantités achetées
(en milliers de pièces).
Années saisonnières
1986 / 1983

5

... Ce jour-là Madame de Mortsauf avait une robe rose à mille raies, une collerette à large ourlet, une ceinture noire et des brodequins de cette même couleur. Ses cheveux simplement tordus sur sa tête étaient retenus par un peigne d'écaille.

Balzac, *Le Lys dans la vallée,* 1835.

LA GARDE-ROBE DE MADAME

Les jeunes femmes préfèrent la jupe à la robe, le pantalon sport au pantalon chic. La veste marche mieux que le tailleur et le jean est délaissé.

6

Je trouve les caprices de la mode, chez les Français, étonnants. Ils ont oublié comment ils étaient habillés cet été, ils ignorent encore plus comment ils le seront cet hiver ; mais surtout on ne saurait croire combien il en coûte à un mari pour mettre sa femme à la mode. Que me servirait de te faire une description exacte de leur habillement et de leur parure ? Une mode nouvelle viendrait détruire tout mon ouvrage...

Montesquieu, *Lettres persanes,* 1721.

1	2
3	4	5
	6	

7
IMAGES

Sur les photos ci-dessus, observez attentivement les costumes traditionnels (1, 2, 3, 6) et les modèles des grands couturiers (4, 5).
Essayez de les comparer (tissus, formes, couleurs...). Pouvez-vous trouver et décrire des points communs ? De quels pays proviennent les costumes traditionnels ?

8
CLASSEMENT

Regardez le document 4. Classez les vêtements selon les quantités achetées pour chacun d'eux.

9
IMAGES

Regardez les photos des jeunes Japonais et des jeunes Français (p. 41). Qu'ont-ils en commun dans leur façon de s'habiller, de se tenir, dans leurs occupations ?
Dans votre pays, quel est l'« uniforme » de la jeunesse ? Est-il proche de celui des jeunes Japonais ou Français ?

10

Choisissez dans les illustrations ci-dessus la tenue qui vous plaît le plus ou celle que vous auriez aimé porter. Dites pourquoi.

5 Instantanés

À L'ÉCOUTE DE...

Observez les dessins.
Écoutez et cochez ceux qui correspondent aux indications.

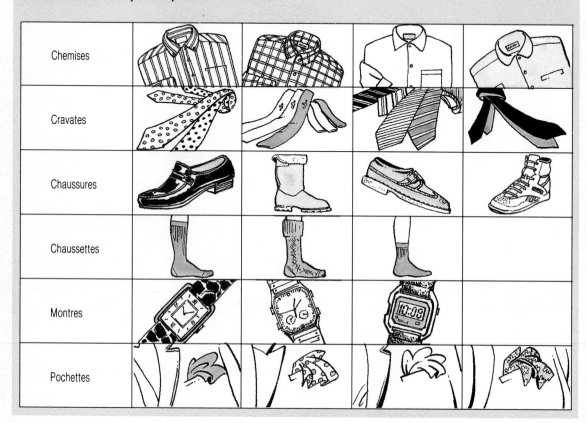

Chemises				
Cravates				
Chaussures				
Chaussettes				
Montres				
Pochettes				

POUR S'EXPRIMER

11
DÉFINITION

La mode pour vous, qu'est-ce que c'est ?
– Une obligation qui coûte cher ?
– Un divertissement futile ?
– Une passion ? Un plaisir ?
– Un spectacle ? ... Trouvez d'autres définitions.

12
MODES DE VIE

Comment choisissez-vous vos vêtements ? Accordez-vous de l'importance à : la matière, la couleur, l'aspect pratique, l'élégance, le « dernier cri » ? Justifiez votre choix.

13
POINT DE VUE

1. Relisez les textes de cette leçon. Pourquoi peut-on parler de « caprices » de la mode ?
2. Dans la mode des siècles passés et dans la mode contemporaine, choisissez :
a. ce qui vous semble le plus étrange, ridicule ou inconfortable.
b. ce qui vous semble le plus esthétique ou le plus pratique.

14
À VOTRE AVIS

Dans la vie courante, quel rôle, positif ou négatif, l'apparence peut-elle, selon vous, jouer ?

HALTE ! RÉVISION

Leçon 1

1

Mais qu'est-ce qu'ils veulent dans cette famille ?

Imaginez.

a. Le père veut que sa fille . . . . . .
b. Le fils veut que son père . . . . . .
c. La mère veut que son mari . . . . . .
d. La fille veut que son frère . . . . . .

2

Complètez les phrases avec une proposition relative commençant par *que.*

Pour vous aider, relisez les textes.

a. Nous avons perdu le combat . . . . . .
b. Je pense aller dîner chez ma mère . . . . . .
c. Les milliers de kilomètres . . . . . . n'étaient pas un problème grave.
d. Alice regardait et embrassait la famille . . . . . .

3

Vous êtes un(e) célibataire endurci(e) ; pourtant, la solitude commence à vous peser et vous songez à vous marier grâce aux « petites annonces ». **Rédigez le texte que vous envoyez au journal pour vous présenter ; rédigez également le portrait de l'homme ou de la femme de vos rêves.**

Leçon 2

1

Quand les enfants parlent des parents . . . . . . Imaginez.

Exemple : **Je voudrais que . . . . . .** *Je voudrais que mes parents soient parfaits.*

1. Je voudrais que . . . . . . 2. Je préfère que . . . . . . 3. Je souhaite que . . . . . . 4. J'aimerais que . . . . . . 5. Je pense que . . . . . . 6. Il est nécessaire que . . . . . . 7. Il est indispensable que . . . . . .

2

Continuez l'histoire de la bande dessinée p. 15.

Cette fois, c'est le soir ; la mère rentre du travail, elle est fatiguée.

Rédigez le texte de cette nouvelle bande dessinée.

3

L'adolescence est parfois difficile, et pourtant certaines personnes âgées voudraient rajeunir ! **Récrivez le texte 4 en commençant ainsi :** « *Je suis dans ma quatre-vingtième année. On m'appelle "grand-père", et pourtant . . . . . .* »

4

Racontez par écrit un souvenir de votre enfance ou de votre adolescence, particulièrement heureux ou malheureux.

– Quel âge aviez-vous ?
– Où cela se passait-il ?
– Comment cela est-il arrivé ?
– Étiez-vous seul concerné ?

Comment considérez-vous maintenant cet événement ?

Expressions et mots nouveaux

Leçon 1

	*	abondant(-e), *adj.*
(une)		absence, *n. f.*
		ailleurs, *adv.*
(une)	*	apparence, *n. f.*
	*	s'attacher (à), *v.*
(un)		bras, *n. m.*
(un)		cercle, *n. m.*
(un)		combat, *n. m.*
	*	contempler, *v.*
(une)	*	défaite, *n. f.*
		dramatique, *adj.*
	*	enlacer, *v.*
	*	s'exclamer, *v.*
(un)	*	intérêt, *n. m.*
(un)	*	kilomètre, *n. m.*
(un)	*	millier, *n. m.*
(un)	*	objet, *n. m.*
	*	se précipiter, *v.*
	*	rebondir, *v.*
	*	sembler, *v. imp.*
		séparer, *v.*
(une)	*	source, *n. f.*
		tour à tour, *loc. adv.*
(une)	*	voûte, *n. f.*

Leçon 2

(une)	*	angoisse, *n. f.*
		autre, *pron. ind.*
		balancer, *v.*
		boire, *v.*
(une)		bouche, *n. f.*
		brosser, *v.*
(un)	*	commandement, *n. m.*
(un)		conseil, *n. m.*
		dès, *prép.*
		dire, *v.*
	*	ébouillanter, *v.*
		écraser, *v.*
(une)	*	éducation, *n. f.*
	*	estimer, *v.*
		griller, *v.*
	*	indiscutable, *adj.*
	*	passer à table
	*	permanent (e), *adj.*
	*	pourvu que, *loc. conj.*
(un)	*	principe, *n. m.*
(un)	*	serviteur, *n. m.*
	*	sobrement, *adj.*
		toujours, *adv.*
		tousser, *v.*
		valoir, *v.*

Leçon 3

(un)	*	artisan, *n. m.*
(un)		avantage, *n. m.*
(le)		blé, *n. m.*
(le)	*	cassis, *n. m.*
(la)	*	confiture, *n. f.*
(une)		coutume, *n. f.*
(un-e)		économiste, *n.*
		faire, *v.*
(la)		farine, *n. f.*
(une)	*	formule, *n. f.*
(une)		framboise, *n. f.*
(un)		grain, *n. m.*
(la)		groseille, *n. f.*
	*	jeter, *v.*
		maigrir, *v.*
(un)		mot, *n. m.*
(le)		Moyen Âge, *n. m.*
		n'importe quel (-le), *adj. ind.*
(une)		odeur, *n. f.*
(un)		parfum, *n. m.*
(un)		pot, *n. m.*
(une)		poubelle, *n. f.*
(le)		principal, *n. m.*
(une)		sorte, *n. f.*
(le)		sucre, *n. m.*
	*	tenir (pour), *v.*
		uniquement, *adv.*
		venir, *v.*
	*	vu, *prép.*

* L'astérisque signale que le mot a fait l'objet d'une explication lexicale dans la leçon.

Leçon 3

1

Dans le texte 1 de la page 24, quels sont les mots qui ont la même forme au singulier et au pluriel ?

2

Dans le texte 3 de la page 28, que remplace *celle-ci* ? Faites un commentaire sur chaque produit évoqué (œufs, légumes, poissons, jambons, vin, cidre) **en utilisant les pronoms démonstratifs.** Exemple : *je mange souvent des œufs. Ceux-ci doivent être très frais.*

3

Voici la recette d'un dessert : la mousse au chocolat.

Faites fondre 250 grammes de chocolat noir avec deux cuillérées à soupe d'eau, puis ajoutez six jaunes d'œufs, mélangez bien.
Battez les blancs en neige (jusqu'à ce qu'ils deviennent très durs).
Mélangez délicatement les blancs et le chocolat. Mettez une heure au réfrigérateur avant de servir.

Maintenant, c'est à vous de rédiger une de vos recettes préférées.

4

Déjeunez-vous chez vous ou à l'extérieur ?

Si vous êtes obligé de manger à l'extérieur, préférez-vous le faire dans :
– la cantine de votre entreprise ?
– un petit restaurant ?
– un bistro ?
– un fast-food ?
Ou préférez-vous manger votre casse-croûte ?

Pourquoi ? Utilisez les arguments suivants :
c'est moins cher/pas cher - vous faites un régime - vous voulez être au calme - c'est près/loin - c'est reposant - vous aimez manger avec vos amis - l'ambiance est sympathique, etc.

Leçon 4

1

Dans le texte suivant, supprimez les répétitions et remplacez les mots supprimés par un pronom personnel.

Exemple : *Les enfants font acheter aux parents les produits qui plaisent aux enfants* → *les produits qui **leur** plaisent.*

Les Français boivent beaucoup d'eau minérale. En effet, ils croient que l'eau minérale est bonne pour la santé. Pourtant, ceux qui boivent de l'eau minérale ne savent pas distinguer au goût l'eau minérale de l'eau du robinet. Vous-même, goutez à l'eau minérale et essayez de trouver ses propriétés particulières !

2

Écrivez le texte suivant avec les verbes au conditionnel.

Sans publicité le métro (être) triste. Les hommes (s'y trouver) enfermés comme des rats. Les couloirs du métro (ne pas ressembler) à une promenade. On (ne pas voir) d'images. Mais ce (être) peut-être mieux. On (ne pas subir) d'influence indirecte.

3

En vous aidant du questionnaire suivant, par écrit décrivez l'image de la femme telle qu'elle apparaît dans la publicité de votre pays.

a. Voit-on souvent des femmes dans ces publicités ?
b. Le plus souvent, quel est son âge ?
c. Quel est son rôle dans la société ?
d. Sur laquelle de ses qualités insiste-t-on ?
e. Apparaît-elle toujours dans des publicités qui lui sont destinées ?

4

Voici trois modèles de slogans publicitaires :

– *Mon bonheur c'est Mozart.*
– *Mon jambon c'est le Baron.*
– *Pas d'erreur c'est Lesieur.*
  (publicité pour une huile).
– *Saint-Yorre ça va fort !*
  (publicité pour une eau minérale).

Construisez à votre tour des slogans sur ces modèles pour des produits réels ou imaginaires.

Expressions et mots nouveaux

Leçon 4

	* abusif (-ive),	*adj.*
	ainsi,	*adv.*
	alimentaire,	*adj.*
(un)	appel,	*n. m.*
	bercer,	*v.*
(une)	boisson,	*n. f.*
(une)	chaussette,	*n. f.*
(un)	* circuit,	*n. m.*
	condamner,	*v.*
(une)	consommation,	*n. f.*
(un)	couloir,	*n. m.*
(une)	découverte,	*n. f.*
	* démystifier,	*v.*
(un)	discours,	*n. m.*
	doré (e),	*adj.*
	* s'échapper,	*v.*
	écologique,	*adj.*
	* émerveillé (-e),	*adj.*
	enfermer,	*v.*
	* envahir,	*v.*
(une)	habitude,	*n. f.*
	importer,	*v. imp.*
	influencer,	*v.*
(une)	joie,	*n. f.*
	mettre en cause	
	* modifier,	*v.*
	n'en déplaise (à)	
	nouveau (nouvelle),	*adj.*
	partout,	*adv.*
	au point que,	*loc. conj.*
	procurer,	*v.*
	provocant (-e),	*adj.*
(un)	rat,	*n. m.*
	* régner,	*v.*
	ressembler,	*v.*
(un)	rôle,	*n. m.*
(un)	slogan,	*n. m.*
(un)	* support publicitaire,	*n. m.*
	* susceptible,	*adj.*
(un)	* trajet,	*n. m.*
	à travers,	*loc. prép.*
	vert (-e),	*adj.*

Leçon 5

(un)	automne,	*n. m.*
	battre,	*v.*
	beige,	*adj.*
(un)	* buste,	*n. m.*
(un)	cachemire,	*n. m.*
(une)	* corolle,	*n. f.*
	correspondre,	*v.*
	* créateur (-trice),	*n.*
	criard (-e),	*adj.*
	dernier (-ière),	*adj.*
	durer,	*v.*
	écossais (-e),	*adj.*
(un)	* ensemble,	*n. m.*
	finalement,	*adv.*
	glacer,	*v.*
(un)	* godet,	*n. m.*
	* harmoniser,	*v.*
	imposer,	*v.*
	juger,	*v.*
(le)	lendemain,	*n. m.*
	* marine,	*adj.*
	* menu (-e),	*adj.*
(un)	mohair,	*n. m.*
(un)	mollet,	*n. m.*
(un)	pardessus,	*n. m.*
(une)	passion,	*n. f.*
	plusieurs,	*adj. et pron. ind.*
	prince-de-Galles,	*n. m. inv.*
(une)	* rafale,	*n. f.*
(une)	rayure,	*n. f.*
(une)	* redingote,	*n. f.*
(un)	sept-huitième,	*n. m.*
	serrer,	*v.*
	sombre,	*adj.*
	* se soucier (de),	*v.*
(une)	souris,	*n. f.*
(un)	style,	*n. m.*
	suivant (-e),	*adj.*
(une)	taille,	*n. f.*
(un)	taupé,	*n. m.*
(une)	* teinte,	*n. f.*
(une)	tendance,	*n. f.*
	tenir (à),	*v.*
	vaste,	*adj.*
(le)	vent,	*n. m.*
	vieillir,	*v.*

Leçon 5

1

Voici des verbes au participe passé. Quel est l'infinitif ?

Écrivez la 3ᵉ personne du singulier et la 3ᵉ personne du pluriel du passé simple :

– appris – attendu – choisi – connu – cru – dormi – employé – mangé

2

Le livre d'Histoire d'un petit Français.

Le texte est au présent ; récrivez-le en commençant par : « *Philippe Auguste devint roi . . . . . .* »

Attention ! Quelques verbes seront à l'imparfait ! (Cf. le passé simple : emploi 3, p. 42)

Philippe Auguste devient roi à l'âge de quatorze ans. Pendant tout son règne, il cherche à agrandir son royaume. Il veut repousser les Anglais qui occupent alors une grande partie de la France. Après avoir pris la formidable forteresse de Château-Gaillard que le roi d'Angleterre possède sur la Seine, Philippe Auguste peut ajouter la Normandie à son royaume ; il devient ainsi le plus puissant roi d'Europe. Ses ennemis anglais et allemands prennent peur et se réunissent pour l'attaquer en 1214.

(D'après *Pour connaître la France, CE2*, Hachette.)

3

Pour chaque phrase numérotée 1, 2, 3, etc.., trouvez la phrase a, b, c... qui correspond. La solution vous est fournie par le pronom complément écrit en caractères gras.

Exemple : *Elle et son mari sont ravis d'avoir fait cet achat. Elle **en** est ravie et son mari aussi.*

1. Elle **en** est ravie et son mari aussi.
2. Je **l'**ai décidé au moment de m'habiller.
3. On s'**en** fatigue très vite.
4. Vous **y** faites toujours attention en choisissant vos vêtements.
5. Il nous **en** a persuadé, au nom de l'élégance.
6. Il **l'**a expliqué au marchand.
7. Le tailleur chinois **l'**explique au client étonné.
8. Dans leur clinique, ces médecins **y** attachent une grande importance.

a. que les chaussures étaient trop étroites.
b. d'avoir fait cet achat.
c. de porter des vêtements très originaux.
d. qu'il suffit d'un jour pour faire un costume.
e. que je mettrais ma jupe longue noire.
f. à porter des blouses impeccables.
g. à bien assortir les couleurs.
h. d'acheter un chapeau.

4

Les costumes traditionnels sont-ils encore portés dans votre pays ?

Par écrit, décrivez-les en indiquant à quelle occasion ils sont portés et par qui.

5

Vous partez loin de chez vous pour quelques jours, dans un pays froid. Décrivez par écrit le contenu de votre valise.
Faites la même chose pour un pays chaud.

ÉLÈVES, PARENTS, PROFS

6

APPRENDRE

1 J'ai commencé ma vie comme je la finirai sans doute : au milieu des livres. Dans le bureau de mon grand-père, il y en avait partout [...].

Je m'emparai d'un ouvrage intitulé « Tribulations d'un Chinois en Chine » et je l'emportai dans un cabinet de débarras ; là, perché sur un lit-cage, je fis semblant de lire : je suivais des yeux les lignes noires sans en sauter une seule et je me racontais une histoire à voix haute, en prenant soin de prononcer toutes les syllabes. On me surprit – ou je me fis surprendre – on se récria, on décida qu'il était temps de m'enseigner l'alphabet. Je fus zélé [...]. J'allais jusqu'à me donner des leçons particulières : je grimpais sur mon lit-cage avec « Sans Famille » d'Hector Malot, que je connaissais par cœur et, moitié récitant, moitié déchiffrant, j'en parcourus toutes les pages l'une après l'autre : quand la dernière fut tournée, je savais lire.

J.-P. Sartre, *Les mots*, Gallimard.

LEXIQUE

je m'emparai : je pris
un cabinet de débarras : une petite pièce où l'on range tout ce qu'on ne sait pas où mettre
les tribulations : les aventures
un lit-cage : un lit métallique pliant
on se récria : on poussa des cris de surprise, d'admiration ; on s'exclama
zélé : appliqué, empressé
par cœur : de mémoire

déchiffrer : lire lentement, avec quelques difficultés

touchait : ici, se rapportait, concernait
l'anxiété : l'angoisse, la peur
saisir : ici, comprendre
me ravissait : me rendait heureux, m'enchantait
magique : merveilleux, extraordinaire

2 En classe, tout ce qui de loin ou de près touchait aux sciences ou même à la simple arithmétique me jetait dans une inquiétude qui tournait vite à l'anxiété, car il m'était impossible de saisir de quoi il s'agissait ni pourquoi il était nécessaire de couvrir de chiffres le tableau noir. [...] J'apprenais les langues étrangères avec une facilité qui étonnait mes professeurs. Par-dessus tout, le beau langage me ravissait. La poésie exerçait sur moi un pouvoir magique [...]. Je comprenais ou ne comprenais pas le sens de tous les mots, et cela était sans importance. Quelque chose passait.

Julien Green, *Partir avant le jour,* **Grasset.**

POUR MIEUX COMPRENDRE

1
DES MOTS

Pour exprimer sa passion de la lecture, J. P. Sartre (texte **1**) utilise des mots et des expressions qui traduisent :
– son enthousiasme : par exemple, *je m'emparai ;*
– son application : par exemple, *je fus zélé.*
Lisez attentivement le texte et relevez-les. Comparez vos notes.

3
DES MOTS
Texte 2

Trouvez pour chacun des mots suivants un synonyme (=) et un antonyme (≠) dans la liste qui vous est proposée.

	Toucher	Anxiété	Ravir	Saisir	Magique
=					
≠					

1. calme – 2. ne pas comprendre – 3. concerner – 4. ordinaire – 5. angoisse – 6. ne pas avoir de rapport avec – 7. déplaire – 8. merveilleux – 9. discerner – 10. enchanter

2
Texte 1 : comment le narrateur apprend-il à lire ?
1. Où se situe son apprentissage ?
– Relevez les trois lieux évoqués par le narrateur.
– Que nous révèlent-ils sur son caractère ?

2. Quelles sont les phrases qui correspondent aux quatre moments de l'apprentissage ? Citez les premiers et les derniers mots de chaque passage.
a. sensibilisation : ....
b. simulation : ....
c. apprentissage : ....
d. autonomie : ....

3. Et vous, vous souvenez-vous de la façon dont vous avez appris à lire ? Racontez.

4
Relisez le texte **2.**
1. Classez les matières dans l'ordre de préférence de l'auteur.

2. *« Je comprenais ou ne comprenais pas le sens de tous les mots, et cela était sans importance. Quelque chose passait. »*

Quel est ici le sens du verbe *passer* ? Pouvez-vous expliquer ce phénomène ? Ressentez-vous la même chose quand vous lisez de la poésie ?

5
DES MOTS

Dans les phrases suivantes, remplissez les blancs avec les expressions :
faire semblant, savoir par cœur, déchiffrer, prononcer, réciter.

– Ce matin, il a ...... une poésie devant les autres élèves.
– Ça ne fait pas longtemps qu'il apprend à lire, mais il commence à ......
– Pour ne pas aller à l'école, il a ...... d'être malade.
– Bien qu'il apprenne cette langue depuis peu, il ...... déjà bien.
– Il a une mémoire étonnante : il ...... des dizaines de poèmes.

6
Regardez le dessin ci-dessus.
a. Que symbolise-t-il ?
b. Pensez-vous qu'il correspond à la réalité ?
c. À votre avis, qui a le plus de chances de trouver du travail : les scientifiques ou les « littéraires » ? Pourquoi ?

6 Grammaire

Infinitif, participe, gérondif

Formes

A. Je suivais des yeux les lignes noires sans en **sauter** une seule. Finalement, je savais **lire**.

B. Élevé par mes grands parents, j'ai commencé ma vie au milieu des livres.

C. Moitié **récitant**, moitié **déchiffrant**, j'ai parcouru toutes les pages l'une après l'autre.

D. Je me racontais une histoire à voix haute, **en prenant** soin de prononcer toutes les syllabes.

Les formes non conjuguées du verbe sont l'infinitif **(A)**, le participe **(B, C)**, le gérondif **(D)**.

■ **L'infinitif** a un **présent** : *lire* **(A)**, *comprendre, prononcer* et un **passé** : *avoir lu, avoir compris, avoir prononcé*.

C'est la forme du verbe la plus proche du nom. Précédé d'un article, il devient un nom : *le rire, le déjeuner, le dîner*, etc.

On le trouve fréquemment directement après un verbe conjugué ou après une préposition **(A)**.

■ **Le participe**. C'est la forme du verbe la plus proche de l'adjectif. **Au présent**, il se forme en général sur le radical de la 1re personne du pluriel du présent de l'indicatif auquel on ajoute *-ant* : (*nous prenons → prenant*). Formes irrégulières **avoir** : *ayant* ; **être** : *étant* ; **savoir** : *sachant*, ... Il a un sens actif **(C)**.

Au passé, le participe a un sens passif. Il sert dans la conjugaison du verbe à obtenir les formes composées. Employé seul, il se comporte comme un adjectif qualificatif et s'accorde avec le mot qu'il qualifie **(B)**.

■ **Le gérondif**. Il se forme avec *en + participe présent* **(D)**. C'est la forme du verbe la plus proche de l'adverbe. C'est l'équivalent d'un complément circonstanciel de temps ou de manière. Il est invariable.

1

Donnez pour tous les verbes conjugués du texte 1 l'infinitif présent, le participe présent, le participe passé et le gérondif.

Emplois

■ **Le participe présent exprime une simultanéité (C)** par rapport au verbe principal ; il s'y ajoute souvent une idée de **cause**, de **conséquence** ou de **condition**. Exemple : *Joseph est entré dans le commerce, abandonnant ses études*, ou : *Abandonnant ses études, Joseph est entré dans le commerce*.

Remarques :
1. Si le sujet du participe présent n'est pas celui du verbe principal, il est placé avant le participe présent.
Exemple : *Il poursuit ses études, le commerce ne l'intéresse pas.*
→ *Il poursuit ses études, le commerce ne l'intéressant pas*, ou *Le commerce ne l'intéressant pas, il poursuit ses études.*
2. Le participe présent peut remplacer une proposition relative.
Exemple : *C'est un homme ayant moins de quarante ans (c'est un homme qui a moins de quarante ans).*

2

Exprimez la simultanéité avec le participe présent :
Il poursuit ses études. Il travaille pour gagner de l'argent.
Mes parents m'ont retiré de l'école. Ils ne m'ont pas empêché d'arriver.
Joseph commencera dans le commerce. Il gagnera tout de suite de l'argent.
Ce professeur motive ses élèves. Il leur donne envie de travailler.
Je ne comprenais pas le sens des mots. Cela était sans importance.
J'apprenais les langues étrangères. Ma facilité étonnait mes professeurs.

■ **Le gérondif peut exprimer la simultanéité** par rapport à un verbe principal conjugué. Le sujet du verbe doit être le même que celui du verbe principal. Exemple : *Je déjeune et j'écoute la radio.*
→ *Je déjeune en écoutant la radio*, ou *J'écoute la radio en déjeunant.*
Remarque : On insiste sur la simultanéité en employant *tout*.
Exemple : *Je déjeune tout en écoutant la radio.*

3

Et vous ? Faites-vous quelquefois deux choses en même temps ? Que faites-vous en écoutant la radio ? En regardant la télévision ? En mangeant ? En prenant une douche ou un bain ? En lisant le journal ? En venant au cours de français ? etc.

4

Remplacez les gérondifs par un équivalent qui montre mieux l'idée de condition (*si*...), de temps (*pendant que, au moment où*...), de manière (*de façon*...) ou de cause (*parce que*...).
Exemple : *En fumant moins, vous respirerez mieux.* → *Si vous fumiez moins, vous respireriez mieux.*
Roméo a rencontré Juliette en sortant de la boulangerie.
Jean-Paul a appris à lire en déchiffrant *Sans Famille*.
Il lit en hésitant.
En écoutant la radio française, je prononcerai mieux la langue.
En avançant dans sa lecture, Sartre comprenait mieux le texte.
C'est en écrivant qu'on devient écrivain.
En sautant des leçons, vous progresserez moins vite.

Expression de la simultanéité

Les conjonctions

A. En frappant son adversaire, Michel regrettait son geste.

B. Alors qu'il frappait son adversaire, Michel regrettait son geste.

C. En même temps qu'il frappait son adversaire, Michel regrettait son geste.

Pour dire que deux événements concernant la même personne ont eu lieu en même temps, on a le choix entre plusieurs façons de s'exprimer : l'emploi du gérondif **(A)** ou l'utilisation de conjonctions **(B** et **C)**.

Pendant que, au moment où, à l'instant où sont également des conjonctions qui, comme celles des phrases **B** et **C** (alors que, en même temps que) servent à exprimer la simultanéité. L'emploi des conjonctions est possible quand les sujets des deux verbes sont différents. Exemple : Pendant que Pierre accordait sa guitare, Jacques essayait la trompette.

La conjonction et, employée seule, peut exprimer la simultanéité. Elle est souvent renforcée par des expressions comme : en même temps, au même moment, pendant ce temps.

5

« Il dit oui avec la tête, il dit non avec le cœur » **dit un poème de Prévert. Exprimez la même idée de cinq façons différentes.** Exemple : Disant non avec la tête, il dit oui avec le cœur.

Les temps

A. Quand je parlerai russe, **je lirai** Dostoïevski dans le texte.

B. Je n'aime pas être dérangé **pendant que je lis.**

C. Je n'ai pas pu voir l'émission de ma mère ; elle **est passée** à la télévision pendant que **j'étais** en voyage.

D. Marcel **s'en alla** et Pierre **arriva** au moment où la nuit **tombait**.

Au **présent** et au **futur**, le même temps sert à exprimer deux actions simultanées **(A** et **B)**.

Au **passé,** dans le système du **discours** (événements en rapport avec celui qui parle), deux événements simultanés peuvent s'exprimer soit au passé composé (**C** : ai pu et est passée), soit par un passé composé et un imparfait (**C** : étais).
Dans le système du **récit**, deux événements simultanés peuvent s'exprimer au passé simple (**D** : s'en alla et arriva), ou par un passé simple et un imparfait (**D** : arriva et tombait). Cf. Bonne route 2, leçon 5.

6

Des gangsters amateurs établissent leur plan pour prendre en otage un cheval de course.
Étudiant A : « Pendant que j'ouvrirai la porte, tu détacheras le cheval... ».
Étudiant B : « En faisant démarrer la voiture, je ne ferai pas de bruit... ».
Chaque étudiant doit exprimer une idée de simultanéité au futur.

7

Des élèves ont introduit un chien dans la classe. Ils ne veulent pas que le maître voie l'animal. Chacun explique ce qu'il a fait pour le cacher, l'empêcher d'aboyer, etc. (passé composé et imparfait).
Étudiant A : « J'ai tiré sur la laisse au moment où il montrait le nez dans l'allée. »
Étudiant B : « Moi, j'ai sorti un morceau de sucre pendant que le chien flairait les pieds du professeur. »
Le maître explique, lui aussi, ce qu'il a vu.

8

Racontez, sous forme de récit d'aventures (passé simple et imparfait), l'histoire de deux jeunes gens qui s'aimaient et qui, séparés par des vies mouvementées, n'ont pu se voir qu'une seule fois.
Exemple : « Au moment où Marguerite montait dans l'avion, elle aperçut Bernard qui sortait de l'aéroport... ».

POUR ÉCRIRE SANS FAUTE

Mots en [te]

 Liberté, égalité, fraternité

9

Cherchez dans un dictionnaire les noms de la liste. Classez-les dans le tableau.
activi[te], actuali[te], cô[te], dic[te], é[te], insécuri[te], majori[te], nationali[te], quali[te], san[te], scolari[te], socié[te], spéciali[te], Universi[te], varié[te], véri[te].

noms terminés en [te]		
féminin écrit *-té*	**masculin** écrit *-té*	**féminin** écrit *-tée*
......	......	......
......	......	......
......	......	......

Qu'est-ce que vous observez ?

10

Ache[te] : acheter ou acheté ? Comment choisir ? Si on trouve l'auxiliaire être ou avoir, c'est le participe passé → -é, ou -és, ou -ée, ou -ées.

Écoutez et écrivez.

6 Instantanés

À L'ÉCOLE ET À LA MAISON

3 Ceux qui veillent au grain

Les enfants de cadres supérieurs ne réussissent pas par hasard. Les résultats de cette enquête menée dans la région de Marseille et Aix-en-Provence sous la direction de Roger Establet démontrent que le souci de l'école n'est pas partagé de la même façon dans toutes les couches de la population. Et que ce sont donc les élèves les plus suivis qui réussissent.

	Cadres supérieurs	Employés	Ouvriers
1. La mère a parcouru 3 ou 4 manuels scolaires de l'enfant.	63 %	57 %	48 %
2. La mère a expliqué à nouveau certains cours.	73 %	57 %	35 %
3. L'enfant a bénéficié de 2 ou 3 formes d'aide (explication des cours ; récitation des leçons ; coup de main pour les devoirs).	73 %	71 %	49 %
4. Les parents dirigent le travail à la maison en fonction des conseils donnés par les professeurs.	55 %	49 %	49 %
5. L'enfant a reçu des cours particuliers.	26 %	17 %	15 %
6. La mère connaît le nom de 5 professeurs (ou plus).	66 %	50 %	32 %
7. La mère connaît les devoirs que l'enfant doit faire pour le lendemain.	66 %	35 %	25 %
8. La mère est capable de citer les horaires et les matières étudiées en classe la veille.	80 %	71 %	56 %
9. La mère a consulté le carnet de notes deux fois par mois ou plus fréquemment.	69 %	58 %	61 %
10. Les parents ont récompensé l'enfant pour ses bons résultats scolaires.	54 %	48 %	36 %
11. Lorsqu'il sort le mercredi, l'enfant raconte en détail ce qu'il a fait.	73 %	70 %	56 %
12. L'enfant dit ses notes, même quand elles sont mauvaises.	85 %	82 %	64 %
13. L'enfant parle volontiers de ce qu'il fait en classe.	60 %	60 %	45 %
14. La classe est un des sujets de conversation favoris.	17 %	18 %	8 %

4

	LUNDI	MARDI	MERCREDI	JEUDI	VENDREDI	SAMEDI
8h. 30 9h 30 10h 11h 12h	MATHS (Analyse) MATHS LV1	T.P. Sc. Nat (1h30) TP. Physique (1h.30) MATHS	Sc. Physique (1h30) MATHS MATHS (géométrie)	Sc. Physique Sc. Physique MATHS MATHS (Algèbre)	EPS EPS LV1 Philo	Devoirs Surveillés
13h30 14h30 15h30 16h30 17h30	Philo Philo Hist. géo LV2 (option)	Sc. Nat. LV2	MATHS (T.P.)	Hist. géo Hist. géo	LV2 MATHS (T.P.)	

Emploi du temps de Xavier Thoby. Terminale C.

5

LES TROIS PRIORITÉS POUR UNE MEILLEURE ÉCOLE* ?	(%)
■ Plus d'activités sportives, culturelles et artistiques	46,9
■ Des moyens pédagogiques de base (manuels, documentation, bibliothèque...)	43,1
■ Des moyens pédagogiques modernes (projecteurs, ordinateurs)	41,2
■ Une amélioration de l'accueil des élèves (encadrement, animation, surveillance)	38
■ Allégement des journées de travail des enfants...	28,6
■ Rénovation des établissements scolaires..	23,3

(*) Plusieurs réponses possibles.

6 🎧 Le bon « prof »

Il doit d'abord motiver ses élèves et leur donner envie de travailler. Il doit suivre et contrôler soigneusement leur travail. Les cours doivent être clairs et bien structurés. Il sait se mettre à la place de ses élèves et il les laisse s'exprimer lorsqu'ils ont quelque chose à dire. On ne lui demande pas seulement de savoir beaucoup de choses, on lui demande surtout de savoir les transmettre. Bref, on lui demande d'être pédagogue... donc efficace.

La lettre de l'éducation.

POUR S'EXPRIMER

7

Lisez le document **3.**

Quelles phrases indiquent que les parents :
– Cherchent à aider leur enfant ?
– S'intéressent au travail de leur enfant, le contrôlent, l'évaluent ?
– Ont des relations de confiance avec leur enfant ?

8

COMPARONS

Document **3.**
1. Relevez toutes les expressions et tous les mots qui appartiennent au vocabulaire de l'école en France (ex. : carnet de notes).
2. D'après ce vocabulaire, la réalité scolaire est-elle la même dans votre pays ? Sinon, quelles sont les différences ?

9

Observez l'emploi du temps (document **4**).

1. Cet élève est-il dans une section littéraire ou scientifique ?
2. Cet emploi du temps est-il comparable à celui des élèves de votre pays ? (horaires d'entrée et de sortie, répartition des matières, etc.).

10

À VOTRE AVIS

Texte 6.
a. Quelles sont, d'après ce texte, les qualités du professeur idéal ?
b. Quelles sont-elles d'après vous ?

11

SONDAGE

Lisez le sondage **5**. Classez à votre tour, en fonction de la réalité scolaire de votre pays et de votre opinion, les trois priorités pour l'école. Comparez vos résultats.

6 Instantanés

GRANJABIEL

À L'ÉCOUTE DE...

1

Quelles raisons peut-on avoir de ne pas poursuivre ses études ?
Avez-vous poursuivi ou pensez-vous poursuivre vos études ?
Pourquoi ? Pourquoi pas ?

2

Écoutez et cochez la bonne réponse :

	Vrai	Faux
a. Le père ne proteste pas.		
b. Joseph ne veut pas continuer ses études parce qu'il n'est pas assez intelligent.		
c. Dans le commerce Joseph pense gagner tout de suite de l'argent.		
d. Aujourd'hui Joseph reconnaît avoir décidé d'interrompre ses études.		
e. Joseph considère qu'il n'a pas eu la chance des autres enfants.		

---

7 *Mathématiques*

Quarante enfants dans une salle,
Un tableau noir et son triangle,
Un grand cercle hésitant et sourd
Son centre bat comme un tambour.

Des lettres sans mots ni patrie
Dans une attente endolorie.

Le parapet dur d'un trapèze,
Une voix s'élève et s'apaise

Et le problème furieux
Se tortille et se mord la queue.

La mâchoire d'un angle s'ouvre.
Est-ce une chienne ? Est-ce une louve ?

Et tous les chiffres de la terre,
Tous ces insectes qui défont
Et qui refont leur fourmilière
Sous les yeux fixes des garçons.

Jules Supervielle, *Gravitations*, Gallimard.

POUR S'EXPRIMER

12

Regardez le dessin ci-dessus.
1. Le bonnet d'âne est-il, chez vous aussi, le symbole du mauvais élève ?
2. Pourquoi cet élève a-t-il un bonnet d'âne ?

2. Mettez les réponses de la classe en commun et discutez les résultats.
3. Comparez-les au texte du dessin p. 47.

13

VRAI OU FAUX ?

1. Répondez individuellement par oui ou par non au questionnaire suivant :
a. Réussir à l'école est indispensable pour réussir dans la vie.
b. Ne pas faire de fautes d'orthographe prouve qu'on est intelligent.
c. Si on n'est pas le premier, toutes les places se valent.
d. Les études littéraires ne servent à rien.

14

Lisez le poème de Jules Supervielle (**7**).
1. Relevez et expliquez toutes les comparaisons que le poète établit à propos des mathématiques (ex. : l'angle comparé à un animal).
2. Ces comparaisons établissent une atmosphère générale du poème, laquelle ?
3. Cette atmosphère vous semble-t-elle justifiée ? Avez-vous déjà ressenti quelque chose de comparable pendant vos études ? Racontez-le.

VOYAGES, VOYAGES...

7

7 Démarrage

PARTIR, C'EST CHANGER UN PEU...

1　Aimez-vous *(les aérodromes)* ? J'ai pour eux un goût inexplicable. Ils sont plus propres et plus modernes que les gares de chemin de fer. Ils sont décorés dans le style « salle d'opération ». Des voix étrangères, difficiles à comprendre parce que déformées, appellent, par haut-parleurs, les passagers pour des villes exotiques et lointaines. À travers les vitres, on voit atterrir et s'envoler des avions géants. C'est un décor irréel et non sans beauté. J'avais dîné, puis m'étais assise avec confiance dans un fauteuil anglais de cuir vert-mousse, quand le haut-parleur prononça une longue phrase que je ne saisis pas mais où je reconnus le mot New York et le numéro de mon vol. Un peu inquiète, je regardai autour de moi. Des passagers se levaient.

A. Maurois, *L'Escale-Pour piano seul*, Flammarion.

2　Je me méfie de ceux qui partent pour se changer ; on change de place, on ne change pas de cœur, ni d'esprit. Celui qui s'ennuie toujours, s'ennuiera partout. [...] Il est naïf de croire qu'on voyage pour se changer les idées. [...] Si le voyage changeait les idées, les sots en reviendraient intelligents. Rien n'est plus faux.

Le voyage non seulement ne guérit point les défauts, il les exaspère. [...] On dirait qu'à peine sortis de chez eux, les hommes s'accordent avec complaisance toutes les permissions qu'ils se refusaient dans la vie quotidienne. [...] Les compagnons de voyage sont toujours meilleurs ou pires qu'ils ne le sont chez eux. C'est pourquoi le voyage en compagnie ne peut être que délicieux ou infernal.

Claude Roy, *Le bon usage du monde.*

LEXIQUE

1

une salle d'opération : l'endroit, à l'hôpital, où les chirurgiens opèrent les malades
exotiques : étrangères et lointaines

2

je me méfie : je ne fais pas confiance

une place : ici, endroit, lieu
naïf : ici, qui commet une erreur, par ignorance ou bêtise
exaspère : ici, augmente, amplifie
à peine sortis : dès qu'ils sont sortis
avec complaisance : ici, avec plaisir et facilement
infernal : insupportable

POUR MIEUX COMPRENDRE

1

DES MOTS

Texte 1

Le premier pas vers l'aventure, ce sont tous les lieux de « départ » : les *aérodromes* ou *aéroports, les gares, les ports, les gares routières...*
À quels moyens de transport et à quelles professions (qui leur sont liées), ces lieux vous font-ils penser ?
Utilisez le tableau ci-dessous pour vos réponses, en imitant et en complétant le modèle.

lieux	moyens de transport	professions
aéroport	avion – hélicoptère...	pilote – hôtesse...
gare		
port		
gare routière		

2

Dans le texte **1**, l'auteur signale des éléments qui « dépaysent » le voyageur avant même son départ. Relevez ces éléments et dites pourquoi ils sont dépaysants.

3. Quand les gens voyagent
a. ils conservent les mêmes habitudes de vie.
b. ils se libèrent de toutes les contraintes.
c. ils se montrent plus sérieux que jamais.

3

Texte 2
Cochez l'affirmation exacte.
1. Le voyage permet
a. de faire ce qu'on ne fait pas d'habitude.
b. de se distraire.
c. de se changer.
2. Le voyage
a. ne modifie en rien,
b. diminue sensiblement,
c. augmente considérablement
d. les défauts des hommes.

4

DES MOTS

Texte 2

Pour mieux affirmer son opinion, Claude Roy n'utilise aucune nuance et emploie certains mots et leurs contraires en même temps.
Par exemple : *sots/intelligents*.
1. Quels sont les contraires, cités dans le texte, des mots ou expressions :
• guérir un défaut   • meilleur
• s'accorder   • délicieux

2.

De même, quels seraient, dans ce contexte, les contraires des mots ou expressions suivants :
• se méfier de   • il est naïf
• se changer   • rien n'est plus faux
• changer de place   • avec complaisance
• s'ennuyer   • une permission
• partout   • en compagnie

5

Un proverbe français dit que *« les voyages forment la jeunesse »*.
Pensez-vous que l'auteur du texte **2** partage ce point de vue ? Qu'en pensez-vous vous-même ?

6

Meilleur... pire, plus... moins, ...
Entraînez-vous à utiliser les comparatifs : remplissez les blancs dans les phrases ci-dessous en prenant les adjectifs dans la liste suivante : *cher, bronzé, bon, tranquille, mauvais.*
1. Je ne voyage qu'en première classe les conditions de transport sont . . . . . .
2. Je préfère la campagne à la ville, on y est . . . .
3. Mon . . . . . . souvenir de vacances, c'est quand on nous a volé notre argent et nos papiers (deux réponses sont possibles).
4. Les voyages organisés reviennent . . . . . ., mais on n'a à s'occuper de rien.

7

Pouvez-vous expliquer ce qu'est un « routard » ? Quel type de voyageur et de touriste est-il ?

soixante et un **61**

7 Grammaire

Les pronoms relatifs

A. Le haut-parleur prononça une longue phrase **que** je ne saisis pas mais **où** je reconnus le mot New York.

B. Les aéroports sont des endroits **pour lesquels** j'ai beaucoup de goût et **dans lesquels** je me sens bien.

Formes

fonction antécédent	sujet	complément d'objet direct	complément d'objet indirect avec *à*	complément d'objet indirect avec *de*	complément circonstanciel
animés (noms ou pronoms)			à qui, auquel à laquelle, auxquels lesquelles		préposition + qui, lequel, etc.
inanimés (noms ou pronoms)	qui	que	auquel, auxquels à laquelle, auxquelles	dont duquel, de laquelle desquels, desquelles	où, d'où, préposition + lequel, etc.
ce, cela quelque chose rien			à quoi	dont	quoi

Les **pronoms relatifs** ont des formes simples : *qui, que (qu'), dont, où* (A) et des formes composées, beaucoup moins fréquentes, formées avec l'article défini *le (la, les)* + *quel (-quels, -quelle, -quelles)*. On emploie généralement les formes composées après une préposition (B).

Emplois

Le **pronom relatif** introduit une proposition relative complément d'un **nom** ou d'un **pronom** appelé **antécédent** ; cette proposition fait partie du groupe du nom, comme un adjectif, et ne peut s'employer seule. Le pronom relatif peut être sujet ou complément du verbe de la proposition relative.

1

Introduisez un pronom relatif simple dans les phrases suivantes.
Exemple : *Un enfant blessé demandait à boire → Un enfant, qui était blessé, demandait à boire.*
Des voix étrangères, difficiles à comprendre, appellent les passagers.
C'est un décor irréel et non sans beauté.
Je m'étais assise dans un fauteuil anglais de cuir vert-mousse.
Des passagers inconnus se levaient.

2

Par petits groupes, faites cinq phrases avec les éléments suivants. Exemple : *C'est le guide **avec qui** j'ai visité Venise.*

c'est ce sont	le guide les livres la ville des gens les touristes la maison	avec qui pour lequel chez laquelle dans lesquels dont où	j'ai de l'amitié j'ai visité Venise je suis né je t'ai parlé j'ai habité j'ai appris le français

3

À partir des deux phrases proposées, faites une seule phrase avec un pronom relatif (il y a quelquefois deux solutions).
Des enfants de seize ans refusent un monde difficile. Ils n'aiment pas ce monde.
Des enfants de seize ans refusent un monde difficile. Ce monde ne les aime guère.
Ils vivent avec des adultes. Ils ne communiquent pas avec ces adultes.
Ils vont vers des pays inconnus. Ils pensent trouver le bonheur dans ces pays.
Ils reviennent de pays lointains. Ils croyaient trouver le bonheur dans ces pays.
Ils ramènent des souvenirs. Ils pourront vivre avec ces souvenirs.
Ils croyaient trouver le bonheur dans des pays lointains. Ils reviennent de ces pays.

4

Le fils de la boulangère avec qui je suis allé à l'école... **Avec la boulangère ou avec son fils ? Si c'est avec la boulangère, on peut dire :** *le fils de la boulangère avec laquelle...* **Si c'est avec son fils, on peut dire :** *le fils de la boulangère avec lequel...* **Précisez les deux sens de la phrase avec des pronoms relatifs composés.**

C'est la sœur du touriste avec qui j'ai visité Venise.
C'est la secrétaire du directeur avec qui j'ai rendez-vous.
C'est la mère de l'ami chez qui j'habite.
C'est la fille de la patronne pour qui j'ai acheté des fleurs.
C'est l'escalier de la maison où je suis tombé.
Ce sont les quais de la vieille cité où je me suis perdu (on dit : sur les quais, dans la cité).

L'accord du participe passé avec *avoir*

A. Marie **a** longtemps **regardé** les avions.

B. Les avions décollaient, Marie **les a** longtemps **regardés**.

C. La phrase **que j'ai mal entendue** parlait de New York.

Aux temps composés actifs, le verbe se présente généralement sous la forme de l'auxiliaire **avoir** (qui s'accorde avec le sujet) et d'un **participe passé** qui s'accorde avec le *complément d'objet direct* si celui-ci est placé *avant* le verbe. Le complément d'objet direct se trouve avant le verbe dans les cas suivants :

■ Le complément d'objet direct est un pronom personnel : *le* (masc. sing.), *la* (fém. sing.), *l'* (masc. ou fém. sing.), *les* (masc. ou fém. pl.). Pour les deux dernières formes, il faut savoir ce que remplace *l'* ou *les* pour accorder convenablement le participe passé (**B** : *les = avions,* masc. pl.).

■ Le complément d'objet direct est le pronom relatif *que* (**C**) : il faut chercher le genre et le nombre de l'antécédent.

5

Trouvez dans le texte 1 un exemple d'emploi du participe passé avec *avoir*. Expliquez l'orthographe du participe. Comment s'accorde le participe passé employé avec l'auxiliaire *être* ? Trouvez-en un exemple dans le texte. *Je* est-il un homme ou une femme ?

6

Avant de partir en voyage, vous vérifiez que vous n'avez rien oublié :
Étudiant A : *« As-tu pris ta raquette ?*
Étudiant B : *– Oui, je l'ai prise. »*
L'étudiant C épelle l'orthographe du participe et explique l'accord. Verbes conseillés : sortir, ne pas oublier, écrire, mettre dans la valise, vérifier, attacher, voir, ranger, plier, retrouver, placer, ne pas perdre, repasser, **etc.**

7

Un drôle de touriste. Voici les endroits qu'il a visités. Écoutez et écrivez.

POUR ÉCRIRE SANS FAUTE

Mots finissant en [je]

J'ai déjà monté la moitié de l'escalier.

8

Dans cette liste de noms, quels sont ceux qui se terminent en *-ié* **? Quel est leur genre ? Comment se terminent les autres ? De quel genre sont-ils** (vous pouvez vous servir d'un dictionnaire) **?**
amit[**je**], atel[**je**], banqu[**je**], cah[**je**], chemis[**je**], escal[**je**], hotel[**je**], met[**je**], moit[**je**], quart[**je**].

9

Un employé. **De quel verbe vient ce nom ? Cherchez des verbes que vous connaissez, dont le participe passé finit par** *-yé.*

10

Un participe passé conjugué avec être bien intéressant... Dans le texte 1, *je* **est-il un homme ou une femme ? Pourquoi ?**

7 Instantanés

TOURISTE : QUELLE VIE !

3

Il est temps que je m'explique

Je hais la plage
Je hais le sable incertain
où la cheville s'affole
Je hais les omoplates
des brûlés du deuxième degré
Je hais la camionnette rouillée
du marchand de glaces
Je hais la couverture délavée
des magazines de l'été
Je hais trois heures de l'après-midi
quand il pourrait tout aussi bien en être cinq
C'est encore la mer qui me déplairait le moins
mais pour l'atteindre
il faut traverser la plage

Pierre Douvres. *Lectures/50 poèmes*, Hachette.

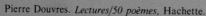

POUR S'EXPRIMER

8

Texte 3.
1. Pourquoi Pierre Douvres n'aime-t-il pas la plage ?
Est-ce qu'il n'aime pas :
– la plage elle-même ?
– le fait qu'elle soit surpeuplée ?
– la plage à une certaine époque de l'année ?
– ce qu'elle « représente » ?
2. Toutes les plages sont-elles ainsi ? En connaissez-vous d'autres ?
3. Où croyez-vous que ce type de plages se situe en France ?
4. S'il y a des plages dans votre pays, comment sont-elles ?

9

POINT DE VUE

Et vous, quelle est votre conception des vacances ?
– Préférez-vous le repos ou le tourisme ?
– Où aimeriez-vous vous rendre ? Pour faire quoi ?
– Si vous voyagez, quel type de touriste êtes-vous ?

10

À VOTRE AVIS

Observez et lisez attentivement la B.D. 4.
1. Pourquoi cet homme est-il snob ?
2. Où réside l'humour de cette scène ?
Pour vous aidez à argumenter, répondez aux questions suivantes :
a. Où cela se passe-t-il ?
b. À quelle catégorie socio-culturelle appartiennent les personnes présentées ici ?
c. Quelles sont les destinations de vacances impossibles ? Pour quelles raisons ?
d. Quelles sont les destinations possibles ? Où se situent-elles ?
e. « Faire » un pays, est-ce :
– le visiter de façon approfondie ?
ou
– le visiter rapidement et souvent en voyage organisé ?
et/ou
– le visiter parce qu'il est « à la mode » ?
f. En quoi « faire un pays » est une toute autre conception de vacances que « louer dans la Creuse » ?

soixante-cinq **65**

7

Instantanés

5

La vie de touriste n'est pas une vie. Le touriste toujours va où va le touriste, aux seules fins de pouvoir narrer chez lui à d'autres touristes des histoires de touristes. Le touriste n'a pas accès aux endroits tranquilles. Il n'en a pas le droit moral. Les endroits tranquilles n'intéressent personne. Pat ne pouvait décemment dire à Londres : « À Paris, j'ai vu un endroit tranquille ». Il lui fallait affirmer : « J'ai vu Napoléon, La Tour Eiffel et Saint-Germain-des-Prés, et Montmartre. » De gré ou de force, et partout au monde, il faut aller au pied des Pyramides locales.

René Fallet, *Paris au mois d'août*, Éd. Rombaldi.

6

Et puis ce furent les premières vagues de « touristes » [...] Ils furent bien accueillis, parce que les Bretons sont fiers, et que la première fierté de celui qui n'a rien est de bien accueillir, mais avec un peu de méfiance tout de même [...]

« Et alors, hoquetait Pierre en pleurant de rire, ils m'ont demandé s'ils pouvaient mettre leur tente dans le pré. Ma foi, je leur dis, si vous voulez ! Mais vous serez beaucoup mieux sur le petit terrain là-bas, tout près de la mer. Eux ils ne se doutaient de rien, ils ne savaient même pas ce que c'était que la marée. Si tu les avais entendus au milieu de la nuit ! Nous, on était restés derrière le talus pour voir ça : ils se sont réveillés avec la mer qui montait autour d'eux et leur voiture dans l'eau ! » [...]

Dans le fond, les touristes, nous les aimions bien : notre petit monde vivait l'été les yeux braqués sur eux, emmagasinant des histoires plus extraordinaires les unes que les autres pour les veillées d'hiver. Et nous attendions leur retour avec impatience : ils nous étaient devenus un piment irremplaçable.

Michel Le Bris, *L'homme aux semelles de vent*, Bernard Grasset.

 À L'ÉCOUTE DE...

Écoutez puis répondez.

1. Quel pays est demandé ? Pour quelle durée ? À quel moment ? Pour quelles raisons ?
2. Quels sont les pays proposés ? À quel moment ? Pour quelles raisons ?
3. Quels sont les pays refusés ? À quel moment ? Pour quelles raisons ?
Quelles caractéristiques communes ont ces Pays ? Selon vous, que recherche le client de l'agence ?

POUR S'EXPRIMER

11

SUIVEZ LE GUIDE !

Texte 5.
1. Quelles sont les contraintes auxquelles un touriste doit se soumettre ?
2. Quels sont les endroits à voir à Paris ? (Vous pouvez compléter la liste à l'aide des indications des leçons 3 de *Bonne Route 1* et 8 de *Bonne Route 2*).
3. Quels sont les endroits à voir dans votre ville ? Dans votre pays ?

12

PORTRAIT

1. Pouvez-vous établir, après lecture des textes **5** et **6**, un portrait du touriste selon René Fallet et Michel Le Bris ?
2. Est-ce le même portrait qui est tracé dans les deux cas ? Quels sont les traits communs ? Quels sont les traits distincts ?

13

Texte 6.
1. Quelles sont, d'après Michel Le Bris, les relations entre les touristes et les « gens du pays » ? Que s'apportent-ils mutuellement ? S'apprécient-ils ?
2. Comment les touristes sont-ils, en général, considérés dans votre pays ?

14

ENQUÊTE

« Le touriste va où va le touriste. »
« Les endroits tranquilles n'intéressent personne. »
1. Croyez-vous qu'il en est toujours ainsi ? Pourquoi ?
2. Est-ce le cas dans votre pays ?
a. Y a-t-il une « mode » pour les vacances ?
b. Les gens partent-ils ? Restent-ils chez eux ?
c. Où vont-ils ? Pendant combien de temps ?

15

DÉBAT

Et vous, aimez-vous la plage, ou préférez-vous la montagne ? Ou encore la campagne ? Pourquoi ?

PARIS-IMAGES

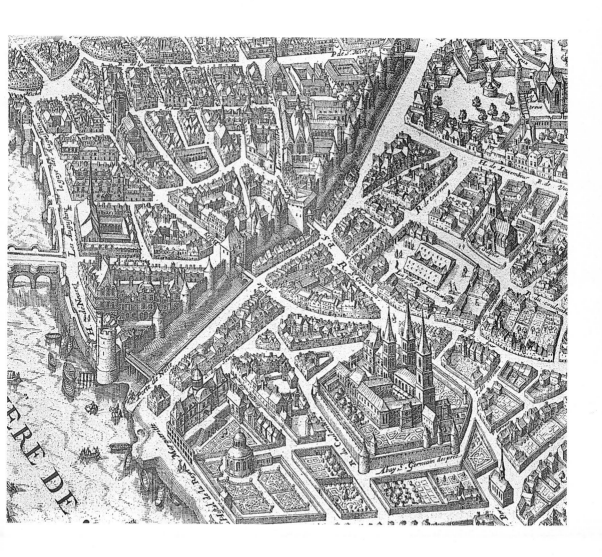

8 Démarrage

PARIS-ATMOSPHÈRE

1 Qui dira assez la beauté de Paris en toutes saisons, pendant les dimanches d'été, les nuits d'hiver quand les rues redeviennent sauvages, des routes. Aucune ville au monde n'est bâtie comme elle l'est avec ce luxe inouï d'espaces clairs. Toute une partie est à l'égal de Versailles dans la répartition des monuments. C'est en été que le fleuve apparaît dans sa pleine beauté, avec ses ombrages, ses jardins, les grandes avenues qui en partent ou qui le longent, les pentes des collines douces qui surplombent de partout, de l'Étoile, de Montparnasse, de Montmartre, de Belleville. Le plat de la ville n'est qu'au Louvre suite à la Concorde. Et dans les îles.

Marguerite Duras, *La vie matérielle,* **Éd. Pol.**

2 🎧 PARIS AT NIGHT

Trois allumettes une à une allumées dans la nuit
La première pour voir ton visage tout entier
La seconde pour voir tes yeux
La dernière pour voir ta bouche
Et l'obscurité tout entière pour me rappeler tout cela
En te serrant dans mes bras.

Jacques Prévert, *Paroles,* **Gallimard.**

3 🎧 [...] Mon Paris n'a rien à voir avec ses monuments, son passé, ses musées. Je n'aime Paris que pour de mauvaises raisons : ses cafés, ses embouteillages, ses restaurants, ses murs gris. Jamais on ne me fera habiter un appartement dont la fenêtre ne donne pas sur la rue, peu importe laquelle, pourvu que, dans la rue en question, il y ait un taxi à prendre, un piéton à bousculer, un passant à qui demander d'urgence l'heure, du feu... ou le prénom de sa femme ! Paris, j'aime tes bruits, ton métro, tes habitants pressés ; et j'aime aussi tes champs de courses ! C'est la seule ville au monde où il y ait des courses de chevaux tous les jours de l'année et parfois deux fois par jour !
Et puis, Paris, la nuit, ne cesse de vivre et les nuits finissent par paraître plus courtes qu'ailleurs...

D'après Jean-Marc Roberts, *l'Express Paris,* **1984.**

LEXIQUE	
1	**3**
sauvages : désertiques, non civilisées **ce luxe :** cette richesse, cette abondance **inouï :** incroyable, extraordinaire **surplomber :** avancer, dépasser au-dessus de	**des raisons :** des motifs, des arguments **bousculer :** pousser avec brusquerie, presque violemment **d'urgence :** immédiatement, sans pouvoir attendre

1

À LA DÉCOUVERTE...

1. Répondez aux questions suivantes avec vos propres arguments :
a. Y a-t-il une saison privilégiée pour visiter Paris ?
b. À quel moment est-il facile de circuler dans Paris ? Pourquoi ?
c. Qu'est-ce qui fait la beauté de Paris et en quoi cette ville est-elle différente des autres capitales ?
d. Quels sont les « éléments » marquants du paysage parisien ?
e. Quels sont les noms des collines qui dominent le centre de Paris ?

2. Relisez le texte **1**, et donnez maintenant aux mêmes questions les réponses apportées par Marguerite Duras.

2

DES MOTS

Dans le texte **1**, expliquez le choix des mots suivants :
- **sauvages** (« les rues redeviennent sauvages »)
- **luxe** (« ce luxe inouï d'espaces clairs »)

3

Relisez le texte **3**.

1. Relevez tous les adjectifs possessifs.

2. L'auteur exprime-t-il ici un point de vue général ou le sien ? Qu'est-ce qui nous le montre ?

3. Dans quelle phrase l'auteur s'adresse-t-il directement à la ville ? Comment cela se traduit-il sur le plan grammatical ?

4

Complétez le tableau ci-dessous à l'aide des éléments que l'auteur aime / n'aime pas à Paris (texte **3**).

Il aime	Il n'aime pas
les cafés...	les monuments...

5

Récrivez le texte **3** en disant le contraire de ce que dit l'auteur.
Par exemple : *Mon Paris n'a rien à voir avec ses cafés...*
Le tableau que vous avez rempli à l'exercice précédent vous aidera.

6

Lisez le poème de Jacques Prévert. À votre avis, pourquoi ce titre est-il en anglais ? Quelles sont les raisons possibles du choix de ce titre ?

8 Grammaire

Les prépositions

A. Qui dira la beauté **de** Paris **en** toutes saisons, **pendant** les dimanches **d'**été, les nuits **d'**hiver...

B. Mon Paris n'a rien **à** voir **avec** ses monuments.

■ Les prépositions sont des mots invariables placés devant un groupe nominal **(A)**, un pronom, un verbe à l'infinitif **(B)**, un adverbe auquel elles sont étroitement liées.

■ Les prépositions sont nombreuses. Elles indiquent le lieu, le temps, le moyen, l'appartenance, la cause, etc.

Principales prépositions :

à, après, avant, avec, chez, contre, dans, de, depuis, derrière, dès, devant, durant, en, entre, envers, excepté, jusque, malgré, par, parmi, pendant, pour, près, sans, sauf, sous, sur, vers.

à cause de, à côté de, afin de, à force de, à l'exception de, à moins de, au-dedans de, au-delà de, au-dessous de, au-dessus de, au devant de, au lieu de, au milieu de, autour de, avant de, de manière à, de peur de, en dépit de, en raison de, grâce à, jusqu'à, loin de, par rapport à, près de, quant à, vis-à-vis de.

Les prépositions les plus employées sont *à* et *de*. Rappel : *à + le = au, à + les = aux ; de + le = du, de + les = des.*

■ Certains mots (*avant, après, derrière, devant,* etc.) sont des **prépositions** quand ils introduisent un groupe du nom. Exemple : *Je passe devant vous.* Employés seuls, ils sont **adverbes**. Exemple : *Je passe devant.*
Après, avant, pour suivis d'un nom sont des prépositions ; associés à *que,* ce sont des conjonctions de subordination. Exemple : *Partez avant la fin pour que le voisin ne vous voie pas.*

1

Relevez toutes les prépositions dans les textes 1 et 2. Dites la nature des termes qu'elles introduisent (groupe nominal, infinitif, etc.).

2

Voici des modèles de phrases et la liste des verbes à employer. Réalisez le plus possible de phrases par groupe en un temps donné.
a. Exemple : nom + verbe *(s'intéresser)* **+ à quelque chose.**
Mon frère s'intéresse... à la mécanique.

1. s'intéresser, parler, plaire, se présenter, sourire .... à qqn.
2. s'intéresser .... à qqch.
3. parler, rire .... de qqn.
4. parler, changer, décider, manquer, rire .... de qqch.
5. parler.. { de qqch. à qqn. / de qqn à qqn.

b. Exemple : nom + verbe *(vendre)* **+ quelque chose à quelqu'un.**

Le patron du restaurant vend. . . . . . son commerce à Paul.

6. acheter, amener, apporter, chanter, demander, devoir, expliquer, faire, jeter, lire, louer, montrer, offrir, passer, payer, porter, préférer, préparer, prendre, présenter, raconter, répéter, reprendre, vendre } .... qqch. à qqn.
7. préférer .... qqch. à qqch.
8. attendre, espérer, recevoir .... qqch. de qqn.

c. Exemple : nom + verbe *(préférer)* **+ quelqu'un à quelqu'un.**
Je préfère les brunes aux blondes.
Il guérit les enfants de la grippe.

9. montrer, préférer, présenter .... qqn à qqn.
10. excuser, guérir .... qqn de qqch.

d. Exemple : nom + verbe *(arrêter)* **+ de + verbe à l'infinitif.**
Vous n'arrêtez pas. . . . . . de parler.

11. arriver, commencer, chercher, recommencer, réussir .... } à + verbe à l'infinitif
12. arrêter, s'arrêter, se dépêcher, finir, oublier .... } à + verbe à l'infinitif
13. aider, préparer   qqn + à + verbe à l'infinitif
14. dépenser, gagner, perdre   qqch. + à + verbe à l'infinitif

3

Les verbes suivants fonctionnent sur plusieurs modèles.
Faites des phrases avec : apprendre : 6-8-11 ; continuer : 11-12 ; demander : 6-11 ; dire : 6-8 ; écrire, répondre, téléphoner : 1-6 ; mettre : 6-14 ; s'occuper : 3-4-12 ; penser : 1-2-11 ; servir : 1-2-4-5-6.

Place des pronoms personnels

(rappel : *Bonne route 1,* leçon 22)

A. Il ne faut pas se mettre en colère : **je me le** dis tous les jours.

B. Éric écrit tous les jours des lettres à Françoise et **il les lui** envoie par avion.

C. Quand il y a des orages, la tour de contrôle prévient les avions.

Elle les en avertit dès qu'elle **le** sait.

Le pronom personnel complément se place toujours avant le verbe.

Quand il y a deux pronoms compléments :

■ les pronoms renvoyant à la personne *(me, te, se, nous, vous)* se placent en 1re position **(A)** ;

■ quand les deux pronoms sont à la 3e personne, les pronoms compléments d'objet direct sont en 1re position **(B)** ;

■ *en* et *y* sont toujours en 2e position **(C)**.

4

Remplacez les noms par des pronoms personnels dans les phrases que vous avez faites à partir des modèles 6, 7, 9, 10 de l'exercice 2.

Le subjonctif passé

A. Il faut que Pierre **ait pris** sa décision et que Lucien **soit revenu** avec l'argent demain.

B. Il est inadmissible que tu **aies oublié** de prévenir ta sœur.

C. Il a fallu qu'elles **aient gagné** beaucoup d'argent pour acheter cette maison.

D. Il faudra que vous **ayez réparé** la douche avant l'arrivée des locataires.

Formation

Le subjonctif passé se forme avec le subjonctif présent de l'auxiliaire et le participe passé.

Emploi

Le subjonctif passé s'emploie généralement dans une subordonnée.
• Quand le verbe principal est au présent, il indique une action achevée **dans l'avenir (A)** – une notation de temps le signale généralement (phrase **A** : *demain)* – ou **dans le passé (B)**.

phrase A — il faut que Pierre **ait pris** sa décision — demain

phrase B — il est inadmissible — que tu **aies oublié** de prévenir

• Quand le verbe principal est au passé ou au futur, le subjonctif passé s'emploie pour indiquer une action achevée et antérieure au temps du verbe de la principale **(C** et **D)**.

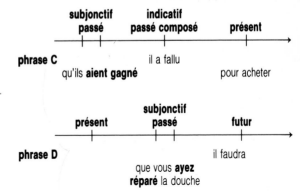

phrase C — subjonctif passé — indicatif passé composé — présent
qu'ils **aient gagné** — il a fallu — pour acheter

phrase D — présent — subjonctif passé — futur
que vous **ayez réparé** la douche — il faudra

5

L'étudiant A est très maladroit. L'étudiant B est très autoritaire.
Étudiant A : *« J'ai cassé le vase de Chine. »*
Étudiant B : *« Je veux que tu l'aies recollé avant demain. »*
Imaginez d'autres bêtises et leur réparation exigée. Verbes à utiliser : désirer, souhaiter, ordonner, exiger, attendre, etc.

Les mots finissant en [sjõ]

Je n'ai pas l'impre*ssion* qu'ils aient trouvé une solu*tion*.

6

Parmi ces mots, quel est celui qui, comme *impression*, s'écrit avec **-ssion** à la fin ?
administra[**sjõ**], associa[**sjõ**], circula[**sjõ**], civilisa[**sjõ**], explica[**sjõ**], fabrica[**sjõ**], informa[**sjõ**], pollu[**sjõ**], profe[**sjõ**], solu[**sjõ**]

7

Écoutez et écrivez. Quelles remarques faites-vous sur la façon d'écrire [**sjõ**] à la fin des verbes ? (cf. page suivante.)

8

Écoutez et écrivez. Comparez avec les mots de l'exercice 7. Que remarquez-vous ? (cf. page suivante.)

8 Instantanés

PARIS-(R)ÉVOLUTION

La Géode :
salle de cinéma sphérique
de 370 places

Le Zénith :
consacré à la variété
et au rock

Galerie de l'Ourcq

Théâtre Présent

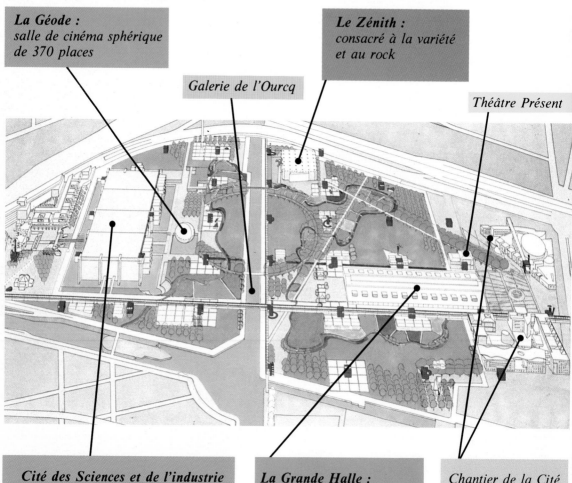

Cité des Sciences et de l'industrie
« découvrir et saisir le monde
qui nous entoure »

La Grande Halle :
un « espace » de spectacles
de manifestations,
d'événements.

Chantier de la Cité
de la Musique

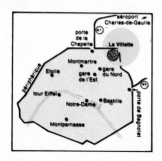

4 PARC DE LA VILLETTE

Architecte : Bernard Tschumi (Suisse). Sur les 55 hectares du site des anciens abattoirs de la Villette, Tschumi a imaginé « un parc du XXIe siècle, c'est-à-dire un parc d'activités, contrairement aux parcs d'agrément ou de repos des XVIIIe et XIXe siècles ».

6

OPÉRA BASTILLE

Architecte : Carlos Ott (Uruguayen).
Donner 450 représentations
par an à 1 million de spectateurs.
Ouverture prévue : le 14 juillet 1989.

5

LE GRAND LOUVRE
ET LA PYRAMIDE

Architecte : I. Ming Pei (Sino-américain).
Faire du Louvre le plus grand musée du monde pour y
accueillir 4 millions et demi de visiteurs par an.
La pyramide couvre l'entrée souterraine du futur grand
Louvre.

POUR S'EXPRIMER

7

À LA DÉCOUVERTE

Observez le descriptif de La Villette.
1. C'est un endroit qui offre des activités multiples, dites
lesquelles.
2. Y-a-t-il un lieu comparable dans votre pays ? Est-ce un
musée, un centre culturel, un parc d'attractions ?
3. S'il y en a un, quels sont ses points communs et ses
différences avec La Villette ?

8

IMAGINONS...

(La Villette)
Les Martin forment une famille « classique » :

– Le père, ingénieur, se passionne pour les sciences, les
découvertes. Il aime aussi beaucoup aller au théâtre et se
détendre dans la nature.

– La mère est amateur de musique et de cinéma. Elle apprécie
les promenades en plein air et s'intéresse aux expositions et aux
découvertes.
– Pierre, le fils, est un inconditionnel de tout ce qui est
moderne : techniques, musique, cinéma, et même théâtre
d'avant garde. Il aime aussi faire du jogging dans les Parcs.
– Jacqueline, la fille, adore les chanteurs et chansons actuels, le
cinéma, les expositions de peinture. Curieuse de tout, elle se
tient au courant des dernières innovations. Romantique, elle va
souvent se promener dans les Parcs pour y rêver.
– Imaginez une journée / après-midi des Martin à La Villette de
telle sorte que :
1. Ils effectuent ensemble la première et la dernière activité.
2. Chacun puisse satisfaire ses goûts personnels.

9

AU PROGRAMME

Imaginez que vous allez à La Villette. Par écrit établissez le
programme idéal de la visite que vous y faites.

8 Instantanés

7 L'ARCHE DE LA DÉFENSE

(ou Tête Défense)
Architecte : Otto Von Spreckelsen (Danois).
L'« Arc de Triomphe de l'humanité »,
fenêtre ouverte sur l'horizon. Un carrefour
de toutes les formes de communication.

À L'ÉCOUTE DE...

**Observez attentivement le tableau ci-dessous.
Complétez-le grâce aux notes que vous prendrez en
écoutant plusieurs fois le document.**

	Qualités		Défauts	
	Moralement	Physiquement	Moralement	Physiquement
Le Parisien	......	......	......	......
La Parisienne	......	......	......	......

Comparez vos notes.
Avez-vous classé les divers aspects sous les mêmes rubriques ?
Comment expliquez-vous les différences ?

8 Petite caractérologie parisienne

Les huit familles de Parisiens
(D'après l'Express Paris 25/3 au 31/3/1988)

1. **Les frimeurs-mode :** Penser à votre image est votre principale raison de vivre. La capitale est un vrai paradis pour vous.
2. **Les gagnants :** Il n'y a pas un instant de votre vie qui ne soit pas consacré à votre réussite professionnelle.
3. **Les déracinés-débrouillards :** Fraîchement débarqués de province [...] vous savez beaucoup mieux utiliser les avantages de la capitale que la plupart des Parisiens. Bravo !
4. **Les cultureux :** Hormis pour vivre à New York, à Barcelone, à Rome ou à Berlin, (ils) ne quitteront jamais Paris !
5. **Les classiques :** Pour vous, la vie familiale passe avant tout.
6. **Les passe-muraille :** Vous pourriez aussi bien vivre à Briançon, à Roubaix ou à Auch. Pourquoi donc vous imposez-vous de subir les tracas de la vie parisienne ?
7. **Les dépassés :** Attention ! vous avez au moins un métro de retard mais ne perdez pas espoir. Attendez encore un peu, le métro va vous rattraper.
8. **Les blasés :** Vous faites partie de ceux qui sortent tous les soirs, avec pour seul but de se conforter dans l'idée qu'ils auraient mieux fait de rester chez eux, mais qui adorent ça quand même.

POUR S'EXPRIMER

10 DÉBAT

Louvre-Bastille-Arche : photos **5-6-7**
Lisez les fiches techniques des trois grandes réalisations présentées.
1. D'où viennent leurs architectes ?
2. Pensez-vous que la France a eu raison de faire appel à des architectes étrangers ? Pourquoi ?
3. Qu'en est-il dans votre pays lorsqu'il s'agit de construire des œuvres importantes ?

11 À VOTRE AVIS

Louvre-Bastille-Arche : photos **5-6-7**
1. Quelle est la réalisation architecturale présentée ici qui vous plaît le plus et pourquoi ?
2. Pensez-vous qu'il est bon ou mauvais d'introduire des œuvres modernes dans un cadre « ancien » ?
3. Qu'en est-il dans votre pays ?

12 CLASSEMENT

1. Lisez le texte **8** et dites comment on appelle :
a. ceux qui sont là par « accident ».
b. ceux qui ne pensent qu'à leur travail.
c. ceux qui ne pensent qu'à la culture.
d. ceux qui savent tirer parti de tout.
e. ceux qui font semblant de ne trouver aucun intérêt à quoi que ce soit.
f. ceux qui ne pensent qu'à la famille.
g. ceux pour qui seul l'aspect compte.
h. ceux qui ne sont jamais « au goût du jour ».
2. Peut-on retrouver ces mêmes catégories de personnes dans la capitale de votre pays ? Présentent-elles quelques différences ? Lesquelles ?
3. Y a-t-il d'autres « familles » chez vous qui n'existent pas en France ? Quelles sont leurs caractéristiques ?

UN PETIT AIR DE MUSIQUE...

MUSICORA

23~28 MARS 88

SALON INTERNATIONAL DE LA MUSIQUE ANCIENNE ET CLASSIQUE

**PARIS
GRAND~PALAIS**

TOUS LES JOURS 11 H · 19 H 30. - NOCTURNE VENDREDI 25 JUSQU'A 22 H.
SAMEDI ET DIMANCHE 10 H · 19 H 30
O.I.P./CODA. 62, RUE DE MIROMESNIL. 75008 PARIS · ☎ 45.62.84.58

9 Démarrage

LA VOILÀ QUI REVIENT, LA CHANSONNETTE...

DU 15 AU 21 OCTOBRE
Ventes du 29 septembre au 5 octobre

* Classement précédent   ** Meilleur classement

				*	**
1.	GLENN MEDEIROS/ELSA	. . .	UN ROMAN D'AMITIÉ	1	1
2.	DÉBUT DE SOIRÉE		NUIT DE FOLIE	3	1
3.	S-EXPRESS	. . . .	THEME FROM S-EXPRESS	2	2
4.	PACO	. . . .	AMOR DE MIS AMORES	4	4
5.	JEAN-JACQUES GOLDMAN		PUISQUE TU PARS	5	3
6.	SANDRA	. . . .	HEAVEN CAN WAIT	6	6
7.	VANESSA PARADIS	. . .	MARILYN & JOHN	11	5
8.	GIANNA NANNINI	. . . . . .	I MASCHI	12	8
9.	KIM WILDE	. . . .	YOU CAME	7	5
10.	BAGDAD CAFÉ	. . .	CALLING YOU	8	8
11.	MIDNIGHT OIL	. . . . .	BEDS ARE BURNING	9	5
12.	CHICO BUARQUE	. . . .	ESSA MOCA'TA DIFERENTE	15	12
13.	DAVID ET JONATHAN	. . . . .	EST-CE QUE TU VIENS POUR LES VACANCES ?	14	3
14.	EIGHTH WONDER	. . . .	I'M NOT SCARED	20	8
15.	VÉRONIQUE JANNOT		AVIATEUR	13	12
16.	OFRA HAZA	. . . .	IM NIN'ALU	17	6
17.	EDDY GRANT	. . . . . .	GIMME HOPE JO'ANNA	10	8
18.	HERBERT LÉONARD	. . . . . .	TU NE POURRAS PLUS JAMAIS M'OUBLIER	21	13
19.	ÉRIC SERRA	. . . .	MY LADY BLUE (LE GRAND BLEU)	16	16
20.	WET WET WET	. . . .	ANGEL EYES	23	20
21.	KYLIE MINOGUE	. . . .	GOT TO BE CERTAIN	22	21
22.	SABRINA	. . . .	ALL OF ME	18	15
23.	ELTON JOHN	. . . .	I DON'T WANNA GO ON WITH YOU LIKE THAT	19	19
24.	SPAGNA	. . . .	EVERY GIRL AND BOY	25	24
25.	GLENN MEDEIROS		LONELY WON'T LEAVE ME ALONE	24	13
26.	TRACY CHAPMAN	. . . .	TALKIN' 'BOUT A REVOLUTION	32	26
27.	RAFT	. . . .	FEMMES DU CONGO	26	26

1 LES CINQUANTE AU SOMMET

C'est en novembre 1984 que le « TOP 50 » fait son entrée dans le paysage de la variété française, avec un principe simple [...] : classer chaque semaine à partir de la vente des 45 tours les 50 « meilleurs » titres. Et, autour de cette idée, se développe tout un arsenal médiatique : un journal hebdomadaire, TOP 50, une émission quotidienne de radio (sur *Europe 1*) et de télévision (sur *Canal Plus*), ainsi qu'un accès informatique à la liste des meilleures ventes par Minitel. Parallèlement à cette liste de titres, le TOP 30 donne les meilleures ventes de 33 tours (albums, cassettes et disques compacts confondus)...

Depuis lors, le métier bruit sans cesse de références au TOP 50, qui tend à rimer de plus en plus avec « chante » : est-il au TOP 50 ? Y est-il encore ? A-t-il monté au TOP 50 ? Qui est premier ? Depuis quand ? etc. Et, dans le journal hebdomadaire, de petites rubriques entretiennent régulièrement cet esprit de compétition : *ils sont entrés au TOP 50, ou ils y rentreront bientôt, c'est sûr...* Il y a même un concours (avec chaque semaine un téléviseur-couleur à gagner) consistant à deviner qui sera par exemple le numéro 11 du TOP dans quinze jours.

Louis-Jean Calvet, *Le Français dans le Monde*, n° 210, juillet 1987.

LEXIQUE

le paysage de la variété : le monde de la variété
la variété : la musique légère (opposée à la musique classique)
un arsenal : un ensemble de moyens
médiatique : qui se rapporte aux supports de diffusion de l'information, (radio, télévision, presse, publicité...)
le métier bruit : le métier retentit, résonne

tend à rimer avec « chante » : finit par être synonyme de « chante »
l'esprit de compétition : le désir de concurrencer, de surpasser

2

la matière : ici, le monde inanimé
mistral : vent violent et sec qui descend la vallée du Rhône

2 Je pourrai dire que la chanson est à l'homme ce que la fleur est à la nature. Elle est son expression la plus fragile et la plus pure. Elle est soumise à toutes les variations du cœur : tempêtes de la passion, orages du sentiment, mistrals de la colère, brises de la tendresse, souffles de l'amour...
Espoir et douleur, joie, révolte et angoisse, elle est l'homme.

Yves Montand, préface à *« La chanson française »* **de Pierre Saka, Fernand Nathan.**

POUR MIEUX COMPRENDRE

1

Cochez la bonne réponse :
1. Le Top 50 est le classement des meilleur(e)s
a. chansons de variété. ✓
b. musiques classiques.
c. chanteurs(euses).
2. Ce classement est établi pour
a. les 33 tours.
b. les 45 tours. ✓
c. les cassettes.
3. Ce classement est présenté
a. seulement dans un journal spécialisé.
b. à la radio.
c. par différents médias (journaux, radio, TV).
4. Ce classement
a. a peu d'importance.
b. constitue seulement une référence.
c. est une évaluation très suivie. ✓

2

Choisissez, parmi **a, b, c**, les phrases qui ont le même sens que la phrase de départ :
1. « Autour de cette idée se développe tout *un arsenal médiatique.* »
a. un ensemble vaste et complexe de moyens d'information. ✓
b. une diffusion d'informations large et très diversifiée.

c. une gamme réduite de moyens d'information.
2. « Le Top 30 donne les meilleures ventes de 33 tours *(albums, cassettes et disques compacts confondus).* »
a. les albums, cassettes et disques compacts sont considérés comme des 33 tours. ✓
b. les albums, cassettes et disques compacts ne sont pas pris en compte.
c. les 33 tours sont constitués par l'ensemble des albums, cassettes et disques compacts. ✓
3. « Le métier *bruit* sans cesse de références au Top 50. »
a. les gens de métier ne font que parler du Top 50. ✓
b. le Top 50 n'est que du « bruit » pour les gens de métier.
c. les spécialistes de la chanson se réfèrent toujours au Top 50. ✓
4. « De petites *rubriques* entretiennent régulièrement cet esprit de compétition. »
a. de petits concours,
b. de brefs articles, ✓
c. de courtes informations ✓
entretiennent cet esprit de compétition.

3

Texte 1
Le Top 50 classe les « meilleurs » 45 tours.
1. À partir de quels critères le fait-il ?

2. Pensez-vous que ce critère est un gage de qualité ?

4

Observez le classement du Top 50 présenté ci-contre.
1. Combien de titres français relevez-vous ?
2. Quelle est la proportion de titres français dans l'ensemble de la liste du Top 50 ?
3. Quelle est la place des titres étrangers dans la chanson, dans votre pays ? Pourquoi ?

5

DES MOTS
Texte 2
1. Yves Montand associe des éléments naturels et des sentiments (exemple : orages du sentiment). Pouvez-vous dire, en fonction de ces associations, quel est le vent le plus fort ? Le moins fort ?
2. À votre tour, dites quels sentiments évoquent pour vous ces éléments naturels : *les nuages, un gouffre, un torrent, un volcan, un tourbillon, un arc-en-ciel* (par exemple : la joie - la douleur - l'espoir - la révolte - l'angoisse).

9 Grammaire

Le futur antérieur

A. Quand nous **aurons trouvé** le numéro 11 du Top 50, nous recevrons un téléviseur.

B. Liliane n'est pas là, elle **aura** encore **raté** son train ou elle **sera passée** chez Paul.

Formation
■ Le futur antérieur se forme avec **le futur de l'auxiliaire** et **le participe passé** (**A** et **B**).

Emplois
■ Le futur antérieur s'emploie surtout dans les surbordonnées quand le verbe de la principale est au futur. Il exprime un événement qui sera achevé et antérieur au verbe de la principale (**A**).

Présent	Futur antérieur		Futur
	quand nous **aurons trouvé**		nous recevrons

■ Quand il n'est pas dans une subordonnée, le futur antérieur exprime une hypothèse (**B** = Liliane a *probablement* raté son train, elle est *peut-être* passée chez Paul).

1
Tous les jeudis, Mme Rivot fait le marché. Récrivez le texte suivant en commençant par « Demain, comme tous les jeudis, Mme Rivot aura fait le marché,... » : *Madame Rivot fait le marché. Elle achète du beurre, fait peser un poulet, demande le prix, et finalement fait peser un gigot. Pendant ce temps-là, Madame Duval va au bureau, reçoit un client, téléphone à son collègue et prend un rendez-vous.*

2
Si vous devenez un chanteur ou une chanteuse célèbre, comment vous organiserez-vous ? Sur le modèle : « passer à la télévision, vendre des disques → *Quand je serai passé(e) à la télévision, je vendrai des disques* », **faites des phrases avec les couples suivants :** vendre des disques - passer à la télévision ; apprendre à chanter - trouver des musiciens ; acheter du matériel - faire une tournée ; trouver un impresario - enregistrer un disque ; enregistrer un deuxième disque - recevoir un disque d'or.

Le conditionnel passé

A. Mon mari n'aurait jamais **eu** l'idée de prendre sa voiture pour aller au bout de la rue.

B. Si Barbara Hendricks avait appris la musique dans son enfance, elle n'**aurait** pas mieux **chanté**.

C. Pierre disait qu'il chanterait quand son oncle **aurait prononcé** un discours.

Formation
Le conditionnel passé se forme avec **le conditionnel présent de l'auxiliaire** et **le participe passé** (**A, B** et **C**). Cette forme est parfois appelée « *conditionnel passé première forme* » par opposition au « *conditionnel passé deuxième forme* » (littéraire et assez rare) qui sera étudié plus loin (cf. *Bonne route 2*, leçon 12).

Emploi
■ Dans une proposition indépendante, le conditionnel passé présente un événement comme imaginaire dans le passé (**A**).

■ Dans le système conditionnel, le conditionnel passé s'emploie dans la principale pour présenter un événement passé dépendant d'une condition énoncée dans la subordonnée (**B**).
Subordonnée : **Si + ind. plus-que-parfait**
Principale : **conditionnel passé**

■ Hors du système conditionnel, employé dans une subordonnée, le conditionnel passé exprime un futur par rapport à un verbe au passé (**C**).

Imparfait	conditionnel passé	conditionnel présent	Présent
Pierre disait		qu'il chanterait	
	quand son oncle **aurait prononcé**		

3
Refaites le texte suivant en commençant par : « Si Jean-Christophe avait inventé des musiques, il en aurait fabriqué pour toutes les occasions... » : « *... Alors, il inventait des musiques [...]. Il en avait fabriqué pour toutes les occasions de sa vie. Il en avait pour quand il barbotait dans sa cuvette le matin comme un petit canard et pour quand il montait au tabouret de piano [...]. Il se jouait à lui-même des marches triomphales pour se rendre solennellement à la salle à manger. À cette occasion, il organisait des cortèges avec ses deux petits frères : tous trois défilaient gravement, à la suite l'un de l'autre [...]* », d'après R. Rolland, *Jean-Christophe*.

4
Céline Dion est classée 48e au TOP 50. Un professionnel du disque explique cette mauvaise place.
Exemple : *Si Céline avait été plus aimable avec les journalistes, les journaux auraient davantage parlé d'elle.*
Utilisez les arguments suivants en les faisant précéder par *si* :
a. La pochette du disque a été dessinée par son frère.
b. Elle a loué un studio d'enregistrement bon marché.
c. Elle n'a pas répété suffisamment avec ses musiciens.
d. Elle s'est fâchée avec son guitariste deux jours avant l'enregistrement.
e. Elle n'a pas invité les personnalités importantes le jour du cocktail de lancement de son disque.

a préposition *à* (*à* et *en*)

a préposition **à** porte toujours un accent et se distingue ainsi du erbe *avoir* au présent qui n'en a pas **(B)**.

e lieu

A. Sabine habite **à** Paris et va chanter **à** Lyon.

B. Barbara n'a appris à chanter ni **à** l'école, ni **à** l'église.

C. Il a fait une tournée **au** Portugal, **en** Espagne, **en** Autriche, **au** Canada et **aux** États-Unis.

indique un lieu précis ; **à** sert à désigner l'endroit où l'on est et endroit où l'on va **(A)**.

à se place devant des noms de villes **(A)** et des noms de lieux A) (rappel : *Bonne Route 1,* leçon 14).

On met **au** ou **aux** devant les noms de pays masculins (Le ortugal, les États-Unis) ; **en** devant les noms de pays féminins (la rance) et ceux qui commencent par une voyelle **(C)** (l'Équateur).

e temps

A. Au XIXᵉ siècle, (**en** 1855 exactement), Paris applaudit Offenbach pour la première fois.

B. Les cours de chant ont lieu **en** automne, **en** hiver, **au** printemps mais rarement **en** été.

C. En janvier, elle a chanté trois fois mais **au** mois de février, elle n'a eu aucun concert.

D. Elle est entrée **à** 2 heures dans le studio et **en** quatre heures, tout a été enregistré.

préposition	à (au)	en
devant	les siècles **(A)** le printemps **(B)** le mois de **(C)** une heure précise **(D)**	les années **(A)** les trois autres saisons **(D)** le nom du mois **(C)** une durée **(D)**

Connaissez-vous Yves Montand ? Mettez la préposition qui onvient, *à* ou *en* :

ves Montand quitte l'Italie ... deux ans. ... onze ans, il travaille éjà ... usine. Il fait plusieurs métiers et chante ... Marseille. ... 944, il monte ... Paris, où il rencontre la chanteuse Édith Piaf. Et out commence pour lui. Sa vie passe de la chanson ... cinéma. ... 953, il tourne *Le Salaire de la Peur* avec Clouzot. Il fait plusieurs ilms ... Hollywood. Aujourd'hui, il ne chante plus beaucoup, mais n le voit assez souvent ... cinéma et ... la télévision.

Les prépositions *à* et *dans*

A. Prost est venu **en** voiture. Prost est venu **dans** sa voiture.

B. Les scouts ont passé leurs vacances **en** montagne. Les scouts ont passé leurs vacances **dans la** montagne.
→ *en* + nom, mais *dans* + déterminant (*le, ce, mon,* etc.) + nom.

6

En ou Dans ? Complétez avec *en* ou *dans* + déterminant.
a. Je suis entrée ... cinéma Rex.
b. ... cinq minutes, j'avais compris. •
c. C'était *Trois hommes et un couffin,* un film que j'avais vu ... France.
d. ... film français, comme ... film américain, le bébé est ... couffin.
e. Trois célibataires se trouvent transformés ... pères de famille.
f. C'est un film ... couleurs très agréable.

Les mots finissant en [jõ]

N'oublions pas l'opinion de millions de téléspectateurs !

7

Quel est le mot où [jõ] s'écrit différemment ?
mill[**jõ**], opin[**jõ**], cra[**jõ**], rég[**jõ**], télévis[**jõ**].

8

Écrivez ces verbes à la 1ʳᵉ personne du pluriel du présent de l'indicatif. Comment s'écrit [jõ] ?
payer, essayer, se maquiller, se débrouiller.
Écrivez maintenant ces verbes à la 1ʳᵉ personne du pluriel de l'imparfait de l'indicatif. Combien entend-on de [j] ? Comment s'écrivent-ils ?

Instantanés

AUTEURS ET INTERPRÈTES

Opéra de Paris.

3

– Qu'est-ce que c'est, pour vous, être une artiste ?

– Je ne sais pas. Peut-être dira-t-on de moi que j'en suis une. Moi, je me sens plutôt « étudiante en art ». Un artiste, c'est avant tout un chercheur, et un serviteur de l'art qu'il a choisi. Je n'ai d'ailleurs pas l'impression d'avoir choisi, mais d'avoir été choisie.

– Comment cela ?

– J'ai toujours chanté. À l'école, déjà, j'avais une voix différente de celle des autres filles. C'est moi qu'on engageait pour les solos. Je n'avais pas appris. Cela m'était venu tout seul, dans le chœur de l'église de mon père, qui était pasteur. À l'université, où je ne faisais pas d'études de musique, mais de mathématiques, j'ai été refusée dans le chœur parce que ma voix ne se fondait pas dans le groupe.

– Vous étiez vouée à devenir soliste ou rien ?

– Exactement.

Barbara Hendricks, *Le Monde de la Musique*, n° 106, déc. 1987.

4 🎧 On m'a souvent demandé comment j'étais venu à la chanson, comment j'avais uni chanson et poésie.

Mes peines, mes joies, ce sont elles la source de mes chansons, la vraie. Si je chante la mer, les Pyrénées, c'est qu'elles furent le cadre de mes jeunes années. Si je parle de rêve, de solitude, c'est parce que je les ai connus à l'âge où les impressions marquent le cœur d'un fer rouge.

La poésie ? Je ne l'ai jamais cherchée. Elle est venue à moi, de temps en temps comme elle va à tous ceux qui savent regarder les choses. Parfois une phrase musicale naît en même temps que les rimes. Ce hasard n'est pas extraordinaire.

Chansons du peuple, chansons des rues, chaque nation a les siennes. On chante dans toutes les langues, sous toutes les latitudes les peines et les joies. Pourquoi n'aurais-je pas chanté les miennes ?

D'après Charles Trénet (D.R.).

Théâtre d'Orange : l'Or du Rhin.

Le groupe Rita Mitsouko.

POUR S'EXPRIMER

6

POLÉMIQUE
Dans le texte **3**, Barbara Hendricks dit qu'elle a le sentiment d'« *avoir été choisie* » et non « *d'avoir choisi* ».

1. Relevez les éléments dans le texte qui semblent prouver ces paroles.

2. À votre avis, un artiste, est-ce « beaucoup de génie et un peu de travail » ou « un peu de génie et beaucoup de travail » ?

7

DÉFINITION
Quelles sont selon vous les différences entre les artistes lyriques comme Barbara Hendricks et les chanteurs de variétés ? Peuvent-ils tous être considérés comme des artistes ?

8

Relisez les propos de Charles Trenet.
1. Relevez toutes ses sources d'inspiration.
2. Dites quelles peuvent-être, d'une façon générale, les sources d'inspiration de la chanson.

9

« *Chaque nation a ses chansons* »
1. Quels sont les thèmes dominants des chansons traditionnelles de votre pays ?
2. Y-a-t-il une grande différence avec les thèmes des chansons de variétés ?
3. Choisissez-en une que vous aimez particulièrement, traduisez-la.

9 Instantanés

Renaud

Diane Dufresne

5

Les jeunes et la musique

Ce qu'ils possèdent	15-19 ans %	20-24 ans %	25-29 ans %	Ensemble de la population %
Un instrument de musique quelconque	66,1	44	37,6	36,6
Une guitare	28	28,1	20,3	15,8
Un autre instrument à corde	7,4	4,3	2,8	4,5
Un instrument à vent	46,4	24,6	15	19,8
Un piano	12,3	7,3	5,4	7,4
Un autre type d'instrument	16,2	12,7	12	9,7
Pratique d'un instrument : « souvent »	18,8	14,2	9,1	7,4
« de temps en temps »	14,3	12,2	8,1	5,9

« Pratiques culturelles des 15-24 ans », ministère de la Culture, 1983.

À L'ÉCOUTE DE...

Une chanson c'est...

Lisez ces propositions de définition.

Écoutez la chanson et notez :
a. celles qui y figurent. **b.** dans quel ordre elles sont citées

- peu de chose
- le satin rose de ta peau
- juste un sourire
- une rose
- un point de poésie
- une oasis dans le désert
- une courte symphonie
- un mois
- sûrement toute ma vie
- un baiser un peu futile
- une caresse
- un point à l'horizon

- un prénom sur une plage
- un jour
- du champagne
- une bouteille à la mer
- une nuit
- un frisson
- un parfum subtil
- un petit bout de mélodie
- trois fois rien
- un point dans l'infini
- juste une image
- sûrement une harmonie

– **Quelle définition de la chanson préférez-vous ?**
Celle donnée par Yves Montand ou par Charles Dumont ?
En auriez-vous d'autres ? Lesquelles ?

POUR S'EXPRIMER

10

SONDAGE
1. Observez le tableau **5** et dites :
a. quel pourcentage de la population a un instrument de musique ?
b. à quel âge joue-t-on surtout d'un instrument ?
2. Comment expliquez-vous que les instruments à vent et la guitare aient le plus de succès auprès des jeunes ?
Sont-ils selon vous :
– plus « faciles » ?
– plus « transportables » ?
– plus « à la mode » ?
3. Et vous, jouez-vous d'un instrument ? Duquel ? Comment et pourquoi l'avez-vous choisi ?

11

POINT DE VUE
1. Quel genre de chansons préférez-vous ?
2. Votre humeur, ou le moment, ont-ils de l'influence sur vos choix ?

12

PALMARÈS
Individuellement, classez les 5 chansons qui sont, à votre avis, les plus belles chansons de votre pays. Puis, comparez vos classements et défendez vos choix !

TÊTES D'AFFICHE

Gérard Depardieu

Catherine Deneuve

Jean-Paul Belmondo

Christophe Lambert

Isabelle Adjani

10 Démarrage

CINÉMA EN CRISE ?

1 Un directeur de salle déclarait récemment : « Un bon film est un film qui fait de l'argent. » La condamnation du cinéma présent tient dans cette réponse. À l'exception de quelques illuminés, tout ce qui vit du cinéma pense comme ce directeur. Faire de l'argent n'est pas une entreprise où l'on peut se montrer difficile sur le choix des moyens ; tous sont bons pour qui veut remporter un succès commercial et même si ce succès est obtenu au détriment du public. Mais ce public, dira-t-on, ne peut-il exercer son droit de contrôle ? Accepte-t-il avec plaisir la marchandise qu'on lui propose ?

René Clair, *Cinéma d'hier, cinéma d'aujourd'hui*, Gallimard.

2 **TROIS HOMMES ET UN BÉBÉ**

Film américain de Leonard Nimoy. Avec Tom Sellek, Steve Guttenberg, Ted Danson, Michelle et Lisa Blair.
Peter est architecte (renommé), Michael dessinateur de BD (à succès), Jack acteur (recherché). Ces célibataires partagent le même (sublime) appartement à New York. Un jour, Jack part en annonçant qu'un paquet doit arriver. Quelqu'un viendra le prendre. Le « paquet » est bien délivré : c'est un couffin (richement décoré) avec une petite Mary de cinq mois dedans. Et un mot de la mère priant le père (Jack) de s'occuper de ça. La suite, sept millions de spectateurs français la connaissent : les deux copains ont du mal à se recycler en babysitters et des trafiquants de drogue viennent récupérer « la marchandise »... Pour adapter la belle idée de Coline Serreau, scénariste et réalisatrice originale de *Trois hommes et un couffin* (1986), les Américains ont fait fort : plus de moyens, de détails, d'humour (moins subtil). Passé le premier choc, purement chauvin, on finit par trouver ça marrant. Une cohabitation réussie.

Femme actuelle, 7-13 mars 1988.

Photo extraite du film français.

LEXIQUE

1
la condamnation : ici, la désapprobation, le blâme, les reproches
des illuminés : des gens qui suivent leurs idées envers et contre tout
au détriment : en faisant tort

2
un couffin : un grand sac souple en paille tressée, parfois en tissu
se recycler : changer de métier, d'orientation
subtil : fin, habile

3
le profil : ici, les caractéristiques, la personnalité
un intoxiqué : quelqu'un qui a l'habitude de quelque chose de mauvais et qui ne peut pas s'en passer
perturber : déranger, poser des problèmes
fondre : ici, s'attendrir, être ému
bêtifier : parler d'une manière sotte, en imitant les tout petits enfants
une bluette : une petite histoire sans prétention
humecte : mouille (ici, avec des larmes)

3 TROIS HOMMES ET UN COUFFIN

Trois Hommes et un couffin », de Coline Serreau, avait ouvert la route des berceaux. Treize millions de spectateurs en France : ça ne pouvait laisser insensibles les producteurs américains. Qui eurent tôt fait de dessiner le profil idéal de la nouvelle star : avoir moins de 1 an, marcher à quatre pattes, être un intoxiqué du biberon, et perturber – beaucoup – les papas ou les mamans dans l'exercice de leurs fonctions sociales. Avant de les voir fondre devant la première incisive et attendrir avec ravissement.

Trois Hommes et un bébé » est le parfait exemple du genre. Le film originel de Coline Serreau s'adressait déjà moins à l'esprit critique du public qu'à ses cordes sensibles. Et c'était très bien ainsi. Malheureusement, les bons sentiments s'usent lorsqu'on s'en sert, et l'adaptation américaine, réalisée par Leonard Nimoy – Mr Spock dans « Star Trek » – ressemble comme une sœur jumelle à la bluette française. Tom Selleck, Steve Guttenberg, Ted Danson, les trois célibataires endurcis, transformés en papas gâteaux, habitent un luxueux appartement new-yorkais. Ils sont sportifs, richissimes, blagueurs. Et dorlotent, dorlotent, avec une santé à toute épreuve, au long d'aventures prévisibles de bout en bout.

Photo extraite du film américain.

La subtilité n'est pas le point fort de Nimoy, à qui on ne reprochera guère des silences évocateurs, des regards expressifs ou des allusions raffinées. Non, tout est dit, expliqué, démontré, outré. Circonstance aggravante, vous avez évidemment déjà vu « Trois Hommes et un couffin ». Dans ce cas, disons-le tout net : l'ennui fermera vos yeux avant que la fin de l'histoire les humecte quelque peu.
L'Express, 12-18 février 88.

POUR MIEUX COMPRENDRE

1
DES MOTS
Texte 1
« *Un bon film est un film qui fait de l'argent.* »
Classez les mots de la liste suivante selon qu'ils évoquent plutôt le monde du cinéma ou le monde de l'argent : *directeur de salle, cinéma, entreprise, moyens, succès commercial, public, marchandise.*
Certains mots appartiennent-ils aux deux groupes ? Pourquoi ?

2
Texte 1
1. L'auteur du texte, René Clair, partage-t-il l'avis du directeur de salle qu'il cite ?

2. À votre avis, quelle est la conception du cinéma que partagent ces « quelques illuminés » dont parle l'auteur ?

3
Comparez les textes **2** et **3**.
1. Recherchez les informations de la liste suivante et dites dans quel texte elles figurent.
- nom des personnages
- nom des acteurs
- nom du metteur en scène
- renseignements sur le metteur en scène
- explication de l'intrigue (de l'histoire)
- jugement sur les acteurs
- jugement sur l'intrigue
- jugement sur la qualité du film
- nombre de spectateurs du film français

2. Comparez les expressions des textes **2** et **3** qui expriment l'opinion des deux auteurs sur le film et classez-les en deux groupes :
a. avis favorable **b.** défavorable

4
Définissez le travail de tous ces gens qui sont indispensables à la création d'un film : *producteur, scénariste, réalisateur, acteur, costumier, maquilleur, habilleuse.*

10 Grammaire

L'antériorité au passé

A. Les techniciens **regardent** la première séquence du film qu'ils **ont tourné** en Provence.

B. Les trois célibataires s'**occupaient** du bébé qu'ils **avaient trouvé** devant leur porte.

C. Léonard Nimoy tourna *Trois hommes et un bébé* après qu'il **eut constaté** le succès du film de C. Serreau.

D. J'**ai aimé** ce film dont j'**avais** déjà beaucoup **entendu parler.**

E. Le cinéma **fit** triompher des vedettes qui n'**avaient** pas **eu** de succès au théâtre.

Formation

Le temps composé se forme en ajoutant **le participe passé** à **l'auxiliaire conjugué au temps simple correspondant** (cf. tableau ci-dessous) :

concordance des temps simples et des temps composés			
	présent	imparfait	passé simple
avoir regarder	j'ai je regarde	j'avais je regardais	j'eus je regardai
	passé simple	plus-que-parfait	passé antérieur
avoir regarder	j'ai eu j'ai regardé	j'avais eu j'avais regardé	j'eus eu j'eus regardé

Emplois

En règle générale, le temps composé exprime l'antériorité par rapport au temps simple qui lui correspond. Il exprime toujours une action achevée. Cette règle a été exposée pour le futur antérieur par rapport au futur (cf. *Bonne route 2*, leçon 9) et le subjonctif passé par rapport au subjonctif présent (cf. *Bonne route 2*, leçon 8).

■ **Le passé antérieur** est peu employé. On le trouve dans les subordonnées commençant par *après que, quand, lorsque, dès que, une fois que*, quand le verbe principal est au passé simple **(C)**.

■ **Le plus-que-parfait** est le temps le plus souvent utilisé pour exprimer l'antériorité au passé. On l'emploie aussi pour marquer l'antériorité par rapport au passé composé **(D)**. Ce temps peut donc marquer l'antériorité par rapport à l'imparfait, au passé simple et au passé composé.

■ **Passé antérieur** du **plus-que-parfait :** pour choisir l'emploi de l'un ou l'autre temps, on peut :
• appliquer la liste des conjonctions données ci-dessus *(après que, quand, lorsque, dès que, une fois que)* suivies d'un passé antérieur ;
• considérer l'action : si l'action exprimée par le 2e passé se termine juste au moment où commence l'action exprimée par le passé simple (continuité), on utilise le passé antérieur. Sinon, on utilise le plus-que-parfait.

1

Faites des phrases avec a et b.

a. • J'avais vu *Trois hommes et un couffin*

• *Trois hommes et un couffin* avait ouvert la route
• Coline Serreau avait fait un film sensible

• *Trois hommes et un couffin* avait présenté des personnages bien français.

b. • et *Trois hommes et un bébé* présentait des personnages typiquement américains.
• et *Trois hommes et un bébé* n'était qu'une copie.
• et je n'avais pas envie de voir *Trois hommes et un bébé*.
• et *Trois hommes et un bébé* était ennuyeux.

2

Par groupes, cherchez cinq phrases avec le verbe principal au passé simple et le verbe de la subordonnée au passé antérieur.

après que	(baigner)		(raconter) une histoire
quand	Peter (nourrir)	lui	(mettre) dans son couffin
lorsque	Michael (habiller) Mary, il		(prendre) dans ses bras
dès que	Jack (dorloter)		(donner) le biberon
une fois que		la	(chanter) une chanson

3

Pour que la subordonnée indique un événement terminé, mettez la forme qui convient : passé antérieur ou plus-que-parfait.

a. Après que *Trois hommes et un couffin* (obtenir) un grand succès en France, des producteurs américains décidèrent d'étudier la question.
b. Quand ils (penser) qu'un bébé pouvait être la vedette d'un film, ils prirent la décision de tourner *Trois hommes et un bébé*.

Tom Selleck accepta le rôle dès que le producteur le lui
(proposer).
, Léonard Nimoy accepta de réaliser l'adaptation qu'on lui
(proposer).
, Quand on (tourner) le film, on le présenta en France.
, De nombreux Français dirent qu'ils (préférer) le film de Coline
Serreau.
, D'autres Français dirent, quand ils (voir) *Trois hommes et un
bébé*, qu'ils (trouver) le film « marrant ».
, Mais moi, une fois que l'ennui (fermer) mes yeux, rien ne put
me réveiller !
, Mais moi, rien ne put me réveiller, car l'ennui (fermer) mes yeux !

Voici une courte filmographie de Gérard Philipe.
**. En utilisant les renseignements qu'elle vous donne,
complétez les phrases suivantes :**

Gérard Philipe (1922-1959). Principaux films : 1946 : *Le Diable au
Corps*, de Claude Autant-Lara ; 1947 : *La Chartreuse de Parme*,
de Christian-Jaque ; 1949 : *La Beauté du Diable*, de René Clair ;
1950 : *La Ronde*, de Max Ophüls ; 1951 : *Fanfan la Tulipe*, de
Christian-Jaque ; 1953 : *Les Orgueilleux*, d'Yves Allégret ; 1954 :
Le Rouge et le Noir, de Claude Autant-Lara ; 1955 : *Les Grandes
Manœuvres*, de René Clair ; 1959 : *La Fièvre monte à El Paso*, de
Luis Buñuel.

. « J'ai bien connu Gérard Philipe, je (tourner) *Les Grandes
Manœuvres* avec lui en 1955 ; je (déjà travailler) avec lui en 1949 »,
raconte René Clair.

. Claude Autant-Lara a réalisé *Le Rouge et le Noir* en 1954 ; il
(déjà faire) un film avec Gérard Philipe en 1946.

. Quand Gérard Philipe eut tourné *Le Diable au Corps*, Christian-
Jaque lui (proposer) un rôle dans *La Chartreuse de Parme*.

. *Fanfan la Tulipe* eut plus de succès que *La Ronde*, le film que
Gérard Philipe (tourner) l'année précédente.

. En 1946, Gérard Philipe (avoir) 24 ans, il (plaire) à Claude
Autant-Lara qui l'(engager) pour la première fois (plusieurs
possibilités).

. Gérard Philipe (mourir ; deux possibilités : discours, récit) en
1959 ; la même année, il (interpréter) *La Fièvre monte à El Paso* de
Luis Buñuel.

. Poursuivez l'exercice en vous posant des questions de
spécialiste de cinéma.
Étudiant A : « *Quand Gérard Philipe a tourné Les Orgueilleux, quel
âge avait-il ? Quel film avait-il tourné deux ans plus tôt ?* »
Étudiant B : « *Il avait 32 ans, il avait tourné Fanfan la Tulipe deux
ans plus tôt.* »

L'accord du participe passé avec *être*

A. La réussite **est** enfin **venue**, votre succès **est reconnu**, les
spectateurs **sont satisfaits** et les familles **sont ravies**.

B. Monsieur le Président, vous **serez reçu** à l'Hôtel de ville à
11 heures.

C. Les secours qui **ont été envoyés** dès que la nouvelle **a été
connue** ne sont pas revenus.

D. En discutant avec ses amis, Sophie **s'est aperçu** qu'elle
s'était endormie pendant le film.

■ **Le participe passé** employé avec l'auxiliaire **être** à l'actif
(**A** : *est venue*) ou au passif (**A** : *est reconnu, sont satisfaits, sont
ravies ;* **B** et **C**), s'accorde en genre et en nombre avec *le sujet* du
verbe.
● Quand la 2e personne du pluriel s'adresse à une personne que
l'on vouvoie, le participe passé ne prend pas la marque du pluriel
(**B**).
● Quand l'auxiliaire **avoir** et l'auxiliaire **être** sont associés dans les
temps composés du passif, c'est l'auxiliaire **être** qui détermine
l'accord (**C**) : le participe passé s'accorde donc en genre et en
nombre avec le **sujet** du verbe.
● **Les verbes pronominaux** se conjuguent aux temps composés
avec l'auxiliaire **être**. L'accord se fait alors comme s'il y avait
l'auxiliaire **avoir,** c'est-à-dire avec **le complément d'objet direct**
du verbe (cf. *Bonne route 2*, leçon 7). Exemple **D** : *s'est aperçu*
(pas de complément d'objet direct : pas d'accord), *s'était endormie*
(*elle avait endormi elle-même ;* accord avec *s'* = *Sophie*).

5

Fille ou garçon, jouez à *Trois hommes et un bébé !*
Étudiant A : « *Marie est blessée !* » (verbe passif)
Étudiant B : « *Oui, elle s'est coupée.* » (verbe pronominal)
**L'étudiant C épelle la fin des participes passés. Verbes
conseillés :** coucher - s'endormir tard ; décoiffer - se disputer ;
déshabiller - se salir ; enrhumer - se mettre la tête sous le robinet ;
tomber - se prendre les pieds dans le tapis ; partir - s'enfuir ; ravir -
se regarder dans la glace ; tremper - s'asseoir dans la baignoire ;
etc.

POUR ÉCRIRE SANS FAUTE

Noms et adverbes en [mã] et [amã]

 **Il a pris patiemment et doucement
son médicament.**

6

**Écoutez et regardez. Avec quelle forme de l'adjectif forme-
t-on ces adverbes ?**
● amicalement - doucement - durement - exactement -
habituellement - heureusement - sûrement

7

Écrivez : di[amã], médic[amã]. **Cherchez dans un
dictionnaire d'autres noms finissant par** [amã]. **Comment
s'écrit** [amã] ?

8

Écoutez et regardez. Écrit-on toujours [amã] **de la même
façon ? Comparez l'adverbe et l'adjectif. Comparez aussi
avec les adverbes de l'exercice 7.**
● différent / différemment - élégant / élégamment - patient /
patiemment - indépendant / indépendamment - plaisant /
plaisamment - suffisant / suffisamment

10 Instantanés

LA MAGIE DU THÉÂTRE

4 PIÈCE	RÉSUMÉ/COMÉDIENS	OÙ/QUAND ?
★★ LA POUDRE AUX YEUX, de Labiche, et MONSIEUR DE POURCEAUGNAC de Molière. Mise en scène de Pierre Mondy.	A la farce bourgeoise et cruelle, servie par une distribution éblouissante (Seigner, Dautun, Gasc, Bertin), succède la vraie bouffonnerie populaire, avec Jacques Sereys et Roger Mirmont.	COMÉDIE-FRANÇAISE 2, rue de Richelieu, 1er, 40.15.00.15. A 20 h 30.
★★★ LA DOUBLE INCONSTANCE de Marivaux. Mise en scène de Bernard Murat.	Moins grave que les grands Marivaux, mais plus piquante, cette comédie est un enchantement. C'est aussi un pamphlet sévère contre l'hypocrisie du siècle. Emmanuelle Béart est adorable, et Daniel Auteuil, irrésistible.	ATELIER Place Charles-Dullin, XVIIIe, 46.06.49.24. A 21 h.
★★★ LE MALADE IMAGINAIRE de Molière. Mise en scène de Pierre Boutron.	Michel Bouquet réinvente le rôle d'Argan, qui le fascinait depuis longtemps. Il donne une saveur inattendue et moderne à cette virulente critique de la médecine.	ARTS-HÉBERTOT 78 bis, bd des Batignolles, XVIIe, 43.87.23.23. A 21 h.
★★★ ZINGARO Jusqu'au 17 mai.	Un extraordinaire spectacle de « cabaret équestre et musical » : baroque, poétique et plein d'humour. Pour le plaisir rare de rêver éveillé.	Chapiteau chauffé 91, bd de Charonne, XIe, 43.71.28.28. A 20 h 15.
★★ LE MISANTHROPE de Molière Mise en scène d'Antoine Vitez.	Dix ans après la première version (extravagante) de la pièce, Vitez a choisi la rigueur et le dépouillement, renouvelant un texte que l'on croyait connaître par cœur. Jamais Alceste (Patrice Kerbrat, magnifique) n'a été si proche de nous.	CHAILLOT (grand salle) Place du Trocadéro, XVIe, 47.27.81.15. A 20 h 30.
★ LE CONTE D'HIVER de William Shakespeare. Mise en scène de Luc Bondy. Jusqu'au 15 mai.	Un « Conte » tronqué, hétéroclite, comme inachevé, dont les deux derniers actes paraissent négligés. Mais la montée de la tragédie est superbe, parfaitement servie par Michel Piccoli, Philippe Morier-Genoud, Bulle Ogier et Nada Stancar.	AMANDIERS DE NANTERRE 7, avenue Pablo-Picasso, Nanterre, 47.21.18.81. A 20 h 30.

POUR S'EXPRIMER

5

CLASSEMENT

Observez la sélection de pièces proposée et complétez le tableau.

type de pièce			auteur		critique (notes)		caractéristiques
tragédie	comédie	autre (préciser)	classique	moderne	+	−	du spectacle
....	....	....	....	....			....

6

DÉFINITION

Le texte 5 donne une définition de ce que peut être le jeu d'un acteur.
1. Résumez cette définition.
2. On peut définir de façon très différente les exigences du métier d'acteur. Faites-le.

3. On a parfois l'impression qu'un acteur de théâtre et un acteur de cinéma ne font pas le même métier. Énoncez tous les éléments qui distinguent ces deux activités.

7

RACONTEZ...

Connaissez-vous des œuvres théâtrales ou des films qui présentent des faits réels ? Citez-les et dites, quel est, à votre avis, l'intérêt de ces œuvres.

5

Réfléchissez un moment sur ce qu'on appelle au théâtre « être vrai ». Est-ce pour y montrer les choses comme elles sont en nature ? Aucunement. Le vrai, en ce sens, ne serait que le commun. Qu'est-ce que le vrai de la scène ? C'est la conformité des actions, des discours, de la figure, de la voix, du mouvement, du geste avec un modèle idéal imaginé par le poète et souvent exagéré par le comédien. Voilà le merveilleux. [...] De là, vient que le comédien dans la rue ou sur la scène sont deux personnages si différents qu'on a peine à les reconnaître.

D. Diderot, *Paradoxe sur le comédien.*

 À L'ÉCOUTE DE...

1

Regardez ci-dessous la liste d'éléments constituant le décor d'une salle de théâtre.

Écoutez une première fois le texte enregistré.

Cochez les éléments dont il est fait mention et que le spectateur a vus.

a. le parterre.................. ☐
b. le paradis................... ☐
c. un lustre..................... ☐
d. une grande salle.......... ☐
e. une petite salle............ ☐
f. la scène...................... ☐
g. des baignoires............. ☐
h. des fauteuils rouges..... ☐
i. des fauteuils bleus....... ☐
j. l'orchestre.................. ☐

k. le rideau...................... ☐
l. une galerie................... ☐
m. un bar......................... ☐
n. des décors.................. ☐
o. un couloir rectiligne...... ☐
p. un couloir circulaire...... ☐
q. des loges.................... ☐
r. le poulailler.................. ☐
s. des strapontins............ ☐
t. un vestiaire.................. ☐

2

Voici maintenant, dans le désordre, les différentes « étapes » du spectacle que le personnage a vu.

Lisez-les attentivement.

Écoutez de nouveau le texte.

Reclassez les phrases dans le bon ordre.

a. Le lustre est tombé.
b. Je me suis bien amusé.
c. Il a fait nuit dans la salle.
d. Les pompiers sont arrivés.
e. On a frappé les trois coups.
f. Les fauteuils ont pris feu.
g. Le lustre n'a pas résisté.
h. Ils nous ont fait prendre des douches.
i. À la place du théâtre il y avait un peu de cendre.
j. J'ai beaucoup applaudi.
k. Il y avait des flammes, beaucoup de cadavres.
l. J'ai pu voir clair.

3

Comment jugez-vous ce récit ? Comique ? Étrange ? Pourquoi ?

Qu'en concluez-vous sur le personnage ? Le théâtre lui est-il familier ou fait-il semblant de n'avoir rien compris ? Quelle interprétation a votre préférence ? Pour quelle(s) raison(s) ?

Instantanés

6 🎧

Le théâtre. Vous ne savez pas ce que c'est ?
[...]
Il y a la scène et la salle.
Tout étant clos, les gens viennent là le soir et ils sont assis par
rangées les uns derrière les autres, regardant.
[...]
Ils regardent le rideau de la scène.
Et ce qu'il y a derrière quand il est levé.
Et il arrive quelque chose sur la scène comme si c'était vrai.
[...]
Je les regarde, et la salle n'est rien que de la chair vivante et
habillée.
Et ils garnissent les murs comme des mouches jusqu'au plafond
Et je vois ces centaines de visages blancs.
L'homme s'ennuie et l'ignorance lui est attachée depuis sa
naissance.
Et ne sachant de rien comment cela commence ou finit, c'est
pour cela qu'il va au théâtre.
Et il se regarde lui-même, les mains posées sur les genoux.
Et il pleure et il rit, et il n'a point envie de s'en aller.
[...]
Ils m'écoutent et ils pensent ce que je dis ; ils me regardent et
j'entre dans leur âme comme dans une maison vide.
[...]
Et quand je crie, j'entends toute la salle gémir.

Paul Claudel, *L'Échange*, Mercure de France.

7

Quel est le genre de film que vous préférez ?

Le classement des jeunes (en %)

Films comiques	65
Films d'aventure	49
Films de S.-F., films fantastiques	**40**
Films policiers, d'espionnage	39
Films qui font peur, films d'horreur	**36**
Westerns	21
Histoires d'amour	18
Films de karaté	17
Films d'Histoire	14
Comédies musicales	13
Films à sujet politique	12
Dessins animés	9
Films érotiques	7

Le classement des adultes

Films comiques	50
Films d'aventure	33
Films policiers, d'espionnage	33
Films d'Histoire	24
Histoires d'amour	21
Westerns	21
Films de S.-F.	**14**
Comédies musicales	12
Films à sujet politique	12
Films qui font peur	**6**
Karaté	3
Films érotiques	2

Sondage Louis Harris-TELERAMA, *1981,*
Sondage Phosphore/Louis Harris, *« les 14-18 ans et le cinéma »,* 1983.

POUR S'EXPRIMER

8

DESCRIPTION

Le théâtre comporte trois éléments essentiels : *la salle, les
acteurs, les spectateurs*
Lisez le texte **6** et dites :
a. de quoi se compose la salle,
b. ce que les acteurs voient,
c. ce que les spectateurs voient.

9

POINT DE VUE

Texte 6
1. Quelles raisons, selon Claudel, poussent les gens à aller au
théâtre ?
2. Et vous, que recherchez-vous au théâtre :
a. La distraction ?
b. Un enrichissement culturel ?
c. Un sujet de réflexion ?

10

À VOTRE AVIS

Regardez le sondage **7**.
1. Comment expliquez-vous :
a. le goût des jeunes *et* des adultes pour les films comiques et
les films d'aventure ?
b. la différence de goût concernant les films de science-fiction
ou d'horreur ?
2. Pensez-vous que le classement est le même dans votre
pays ? Oui/non ?
Pourquoi ?
3. Quel est le genre de film que vous préférez ?

11

VOTRE SÉLECTION

Modifiez le classement de cette sélection en fonction de vos
goûts personnels : mettez en tête la pièce qui vous attire le plus
et continuez jusqu'à celle qui vous plaît le moins.

HALTE ! RÉVISION

Leçon 6

1

Récrivez le texte « *Le bon prof* » (p. 57) **en utilisant** *tout + gérondif.*

Attention aux phrases 4 et 5.

2

Il est 7 heures à Paris et 22 heures à Los Angeles.

– *Des gens se lèvent à Paris et* **en même temps** *des gens dînent à Los Angeles.*
→ *Des gens se lèvent à Paris* **pendant que** *des gens dînent à Los Angeles.*

De la même manière, **faites quatre phrases, sachant que :**
Hong Kong = Paris + 7 h.   Les Bahamas = Paris - 6 h.
La Nouvelle-Zélande = Paris + 11 h.
L'Islande = Paris - 1 h

3

Que font-ils ?

Complètez le tableau.
Consultez votre dictionnaire si nécessaire.

Personnes	Verbe	Action
Un lecteur		
Un écrivain		
Un enseignant (Un professeur)	Enseigner	
Un apprenant (Un élève)		Un apprentissage
Un récitant		
Un conteur		
Un déchiffreur		

4

Décrivez ce que serait pour vous l'école idéale. Ne soyez pas forcément réaliste, laissez votre imagination s'exprimer !

Expressions et mots nouveaux

Leçon 6

- s'agir (de), v. imp.
- (un) alphabet, n. m.
- (une) * anxiété, n. f.
- (l') arithmétique, n. f.
- (un) * cabinet de débarras, n. m.
- * par cœur, loc. adv.
- comprendre, v.
- couvrir, v.
- * déchiffrer, v.
- dessus, adv.
- emporter, v.
- * s'emparer (de), v.
- étonner, v.
- * faire semblant, v.
- grimper, v.
- haut (-e), adj.
- intituler, v.
- (un) langage, n. m.
- (une) langue, n. f.
- (une) ligne, n. f.
- (un) * lit-cage, n. m.
- * magique, adj.
- au milieu de, loc. prép.
- (une) moitié, n. f.
- (un) ouvrage, n. m.
- parcourir, v.
- particulier (ière), adj.
- percher, v.
- (une) poésie, n. f.
- prononcer, v.
- * ravir, v.
- réciter, v.
- se récrier, v.
- * saisir, v.
- sauter, v.
- suivre, v.
- surprendre, v.
- (une) syllabe, n. f.
- (des) tribulations, n. f. plur.
- * toucher, v.
- (une) voix, n. f.
- * zélé (-e), adj.

Leçon 7

- accorder, v.
- s'asseoir, v.
- atterrir, v.
- (la) * complaisance, n. f.
- (le) cuir, n. m.
- décorer, v.
- déformer, v.
- s'envoler, v.

- (un) esprit, n. m.
- exaspérer, v.
- * exotique, adj.
- faux (fausse), adj.
- (le) fer, n. m.
- géant (-e), adj.
- guérir, v.
- (un) haut-parleur, n. m.
- infernal (-e), adj.
- * se méfier (de), v.
- (la) mousse, n. f.
- naïf (-ïve), adj.
- (une) * opération, n. f.
- (un) passager (-ère), n.
- * à peine, loc. adv.
- (une) permission, n. f.
- (une) phrase, n. f.
- pire, adj.
- (une) * place, n. f.
- point, adv.
- refuser, v.
- sot (sotte), n.
- (une) vitre, n. f.
- (un) vol, n. m.

Leçon 8

- apparaître, v.
- allumer, v.
- (une) allumette, n. f.
- bâtir, v.
- * bousculer, v.
- cesser, v.
- (une) colline, n. f.
- court (-e), adj.
- (un) dimanche, n. m.
- (un) été, n. m.
- (un) fleuve, n. m.
- (un) hiver, n. m.
- * inouï (-e), adj.
- (un) * luxe, n. m.
- (une) obscurité, n. f.
- (un) ombrage, n. m.
- paraître, v.
- passé, n. m.
- (une) pente, n. f.
- (un) piéton, n. m.
- plat (-e), adj.
- (une) question, n. f.
- (une) * raison, n. f.
- se rappeler, v.
- (une) répartition, n. f.
- sauvage, adj.
- second (-e), adj.
- (une) suite, n. f.
- * surplomber, v.
- (une) urgence, n. f.

Leçon 7

1

Mettez le pronom qui convient.
a. Ce . . . . . je suis sûre, c'est que les aéroports sont des endroits . . . . . je me plais.
b. Ils sont plus modernes que les gares dans . . . . . je prena le train autrefois.
c. L'autre jour j'étais assise sous un haut-parleur . . . . . sorta une voix . . . . . disait dans une langue . . . . . je ne connaissais pas, des choses . . . . . je ne comprenais pas. Mon voisin m'a demandé ce . . . . . cela voulait dire, question à . . . . . je n'ai pas pu répondre. Le sourire avec . . . . . il m'a remerciée m'a donné envie de partir avec lui pour une ville . . . . . je ne connaîtrais pas le nom, ce . . . . n'aurait pas été sérieux !

2

Les Français aiment bien les exercices sur le participe passé. (Ne les écoutez pas quand ils disent le contraire !) Voici l'exercice traditionnel !
Accordez les participes passés :
a. J'ai (visiter) le nord de l'Italie. b. Les dix minutes qu'on m'a (donner) pour visiter le musée, je les ai (trouver) insuffisantes. c. Mes compagnons que je n'ai pas (suivre), je ne les ai plus (voir). J'étais toute seule, j'étais (perdre) dans Venise. d. Mais le guide m'a (appeler) avec un porte-voix.

3

Jouez avec les mots !
À partir d'un mot qui a une relation avec les vacances, les voyages, donnez le plus possible de mots ayant auss une relation avec les vacances et les voyages, et commençant par chacune des lettres de ce mot.
Exemple :

V A L I S E

VOYAGE AÉROPORT LAC ÎLE SITE EXCURSION

4

Vous travaillez dans une agence de voyages de votre pays.
a. Indiquez à un(e) client(e) les lieux à voir.
b. Organisez un circuit touristique que vous présentez à votre client(e).

5

En vous inspirant du poème de Pierre Douvres, essayez d'écrire un poème qui commencerait ainsi :
> Je hais la montagne
> Je hais la neige . . .

Afin de vous aider à le compléter, voici quelques mots ayant un rapport avec la montagne et les sports d'hiver :
neige (blanche - immaculée - profonde - dure - molle . . .) - cie (bleu - gris - rosé . . .) - froid - sapins - skis - luge - téléskis - télésièges - cours - moniteurs - descentes - accidents - bras / jambes - fractures - remontées - cimes-sommets - discothèques - haut - inaccessible . . .

Leçon 8

1

Faites des phrases avec les verbes suivants, sur le modèle demandé (voir p. 70). Bien sûr, ne refaites pas les mêmes phrases que celles utilisées dans les exercices 2 et 3 !

- apprendre (6) - continuer (11) - dire (9) - téléphoner (1) - se mettre (11) - s'occuper (12) - penser (2) - servir (4) - préférer (6) - préférer (7).

2

Complétez en mettant les verbes entre parenthèses au subjonctif passé.

a. Il faut que tu (finir) ton travail pour ce soir. **b.** Je souhaite que tu (ne pas faire) l'imbécile. **c.** Elle n'est pas contente que vous (aller) au cinéma sans elle. **d.** Il n'est pas possible que nous (oublier) ce rendez-vous ! **e.** Il faudra que je (revenir) pour dîner. **f.** Ils n'ont pas aimé qu'elles (partir) sans leur dire au revoir. **g.** Pourquoi veux-tu que j'(payer) en dollars ? **h.** Il serait bon que quelqu'un (laver) la voiture pour demain.

3

Reportez-vous au document oral dont l'étude a été faite en page 74. À l'aide des adjectifs et expressions utilisées, faites le portrait des habitantes et habitants de la capitale de votre pays.

4

Sur le modèle du poème de Jacques Prévert : « *Paris at night* », **imaginez d'autres raisons d'allumer trois allumettes :**

Exemple : *panne d'électricité - panne de voiture - perte d'objet - etc.*
Trois allumettes une à une allumées dans la nuit.
La première pour . . .
La seconde pour . . .
La dernière pour . . .
Et l'obscurité tout entière pour . . .
En . . .

5

Rédigez une « *déclaration* » **à votre ville préférée pour lui dire combien vous l'aimez et ce que vous préférez en elle.**

Leçon 9

(un) accès, *n. m.*
(un) album, *n. m.*
(un) * arsenal, *n. m.*
(une) brise, *n. f.*
     * bruire, *v.*
(une) chanson, *n. f.*
     classer, *v.*
(une) compétition, *n. f.*
     confondre, *v.*
     consister, *v.*
(un) disque, *n. m.*
(une) douleur, *n. f.*
     entretenir, *v.*
(un) espoir, *n. m.*
(une) expression, *n. f.*
     fragile, *adj.*
     lors, *adv.*
(une) * matière, *n. f.*
     * médiatique, *adj.*
(le) * mistral, *n. m.*
     novembre, *n. m.*
(un) orage, *n. m.*
     parallèlement, *adv.*
     à partir de, *loc. prép.*
(un) paysage, *n. m.*
     * pur (-e), *adj.*
(une) révolte, *n. f.*
     rimer, *v.*
     sans cesse, *loc. adv.*
(une) semaine, *n. f.*
(un) sommet, *n. m.*
(un) souffle, *n. m.*
     soumis (-e), *adj.*
(une) tempête, *n. f.*
     * tendre (à), *v.*
(une) tendresse, *n. f.*
(une) variation, *n. f.*
     * variété, *n. f.*

Leçon 10

(un-e) acteur (-trice), *n.*
     adapter, *v.*
     adressep, *v.*
(une) allusion, *n. f.*
(une) aventure, *n. f.*
     avoir du mal
(une) bande dessinée, *n. f.*
(un) berceau, *n. m.*
     * bêtifier, *v.*
(un) biberon, *n. m.*
     blagueur (-euse), *adj.*
(une) * bluette, *n. f.*
(un) bout, *n. m.*
(un) cas, *n. m.*
(un-e) célibataire, *n.*
(un) choc, *n. m.*

(une) circonstance, *n. f.*
(une) cohabitation, *n. f.*
     commercial (-e), *adj.*
(une) * condamnation, *n. f.*
(un) contrôle, *n. m.*
(une) corde, *n. f.*
(un) * couffin, *n. m.*
     déclarer, *v.*
     dedans, *adv.*
     délivrer, *v.*
     démontrer, *v.*
(un-e) dessinateur (-trice), *n.*
(un) détail, *n. m.*
     * au détriment de, *loc. prép.*
     dorloter, *v.*
(une) drogue, *n. f.*
(une) épreuve, *n. f.*
     évidemment, *adv.*
     évocateur (-trice), *adj.*
(une) exception, *n. f.*
     faire fort
(une) fonction, *n. f.*
     * fondre, *v.*
     gâteux (-euse), *adj.*
(un) genre, *adv.*
     guère, *adv.*
     * humecter, *v.*
(un) humour, *n. m.*
     idéal (-e), *adj.*
(un-e) * illuminé (-e), *n.*
(une) incisive, *n. f.*
     * intoxiqué (-é), *adj.*
(un-e) jumeau (jumelle), *n.*
     lorsque, *conj.*
     marrant (-e), *adj.*
     net (nette), *adj.*
     obtenir, *v.*
     outré (-e), *adj.*
     papa, *n. m.*
(une) patte, *n. f.*
     * perturber, *v.*
     prévisible, *adj.*
(un-e) producteur (-trice), *n.*
(un) * profil, *n. m.*
     raffiné (-e), *adj.*
     récemment, *adv.*
     récupérer, *v.*
     * se recycler, *v.*
     remporter, *v.*
     renommé (-e), *adj.*
(un-e) scénariste, *n.*
     sensible, *adj.*
     social (-e), *adj.*
(un-e) spectateur (-trice), *n.*
     sublime, *adj.*
     * subtil (-e), *adj.*
(un-e) trafiquant (-e), *n.*

Leçon 9

1

Mettez les phrases suivantes au passé.

Exemple : *Il dit qu'il sera arrivé ce soir.*
   → *Il disait (ou : Il a dit) qu'il serait arrivé ce soir.*

a. Je pense que nous serons absents à Noël.
b. Il croit qu'il aura fini samedi.
c. Ils espèrent qu'ils auront gagné assez d'argent pour s'acheter une voiture.

2

Mettez la préposition qui convient.

Quelques chanteurs québécois.
Francis Leclerc est né . . . . . 1914, ... La Tuque, ...
Québec. Il commence . . . . . chanter . . . . . Paris 1950
après avoir fait beaucoup de métiers différents. Puis il retourne
. . . . . Québec où il sera un exemple pour tous les jeunes
chanteurs. Il est mort . . . . . 1988.
Gilles Vigneault est né . . . . . Natashquan . . . . . 1928. Son
père était pêcheur et il a longtemps vécu . . . . . la campagne,
. . . . . les forêts, ... bord de la mer. Il commence . . . . .
chanter . . . . . 1961, ... France, puis . . . . . Québec. Gilles
Vigneault raconte la vie de ses amis . . . . . la campagne, parle
. . . . . froid, ... la neige et . . . . . vent.

3

À l'aide de la liste de mots proposés, reconstituez *la rime*
de cette vieille chanson française pour enfants :

1. Au clair de la . . . . ,   *lit*
mon ami . . . .   *cuisine*
Prête-moi ta . . . .   *mot*
pour écrire un . . . .   *plume*
Ma chandelle est . . . . ,   *feu*
je n'ai plus de . . . .   *voisine*
Ouvre moi ta . . . .   *Dieu*
pour l'amour de . . . .   *Pierrot*

2. Au clair de la . . . . ,   *répondit*
Pierrot . . . .   *est*
Je n'ai pas de . . . . ,   *lune*
je suis dans mon . . . .   *porte*
Va chez la . . . . ,   *lune*
je crois qu'elle y . . . . ,   *morte*
car dans sa . . . . ,   *plume*
on bat le briquet.

Leçon 10

1

**Pour que la subordonnée indique un événement terminé,
mettez la forme qui convient : passé antérieur ou plus-
que-parfait.**

a. Comme il (finir), il alla se coucher. **b.** Dès qu'il (finir), il alla
se coucher. **c.** Dès qu'il (finir) il allait se coucher. **d.** Quand il
(préparer) le repas, il mettait la table. **e.** Quand il (préparer) le
repas, il mit la table. **f.** Après qu'il (faire) la vaisselle, il
regarda la télévision. **g.** Il dut fermer la fenêtre que sa femme
(ouvrir). **h.** Il ferma la fenêtre dès que sa femme l'(ouvrir).

2

Mettez le verbe au passé et accordez le participe passé.

1. C'est une femme qui raconte.
2. C'est une femme qui raconte, elle était avec une amie (*je*
   → *nous*)

a. Je (aller) au cinéma. **b.** Je (entrer) dans la salle. **c.** Je
(arriver) au début du film. **d.** Françoise (venir) avec moi.
e. Elle (descendre) du bus devant le cinéma. **f.** Elle (passer)
devant moi sans me voir. **g.** Elle (partir) avant la fin du film.
h. Je (rester) jusqu'à la fin. **i.** Je (sortir) la dernière. **j.** Je
(passer) devant un joli magasin.

3

**Rédigez un article critique sur la dernière pièce de
théâtre ou le dernier film que vous avez vus ; n'oubliez
pas de mentionner l'auteur, le metteur en scène, etc.**

4

**Racontez par écrit le scénario d'un de vos films préférés
ou l'intrigue d'une de vos pièces préférées.**

LA RUÉE VERS L'ART

Colonnes de Buren.

11 Démarrage

MUSÉES EN TOUS GENRES

Musée des Arts africains et océaniens.

1 Paris compte presque autant de musées que de lignes d'autobus ! De quoi sillonner la capitale dans toutes les directions : qu'on s'intéresse à la paléontologie ou à l'optique, à la mécanique industrielle ou à la littérature, aux fortifications ou à l'opéra, on est sûr de trouver à Paris un musée à son goût... On peut même en créer, puisque, l'emploi du terme « musée » n'étant soumis à aucune restriction, n'importe qui peut utiliser l'enseigne pour appâter le badaud. Ainsi du célèbre musée Grévin ou de celui de l'Holographie. Avis aux amateurs, il n'existe pas encore de musée de l'accordéon, de la moutarde ou du vélo !

Bon an mal an, ces honorables institutions drainent la bagatelle de dix millions et demi de visiteurs, soit environ cinq fois la population parisienne. Champion toutes catégories des musées parisiens : le Louvre, évidemment, avec trois millions deux cent onze mille entrées en 1985. Plus surprenant, le musée de l'Armée, aux Invalides, se place deuxième du classement : prestige de Napoléon oblige, un million cent quatre-vingt-trois mille visiteurs sont passés sur son tombeau en 1985. Dernier membre de ce tiercé gagnant, avec huit cent soixante-dix-huit mille personnes, le musée du Jeu de paume, avant que ses œuvres soient transportées à Orsay, ce qui prouve bien l'extraordinaire faveur dont jouissent les impressionnistes.

L'Express, 30 avril au 7 mai 1987.

Musée Rodin.

LEXIQUE

1

sillonner : parcourir dans tous les sens
appâter : attirer
le badaud : le passant toujours prêt à s'arrêter pour regarder ce qui se passe
drainent : attirent vers elles
une bagatelle : une petite chose sans importance ; ici, employé ironiquement
dont jouissent : dont bénéficient, dont profitent

2

de toutes les couleurs : ici, de toutes sortes, dans tous les genres

un panorama : une étude complète
fait bon ménage : s'entend bien, est en harmonie
les graffitistes : ceux qui font ces dessins ou ces inscriptions sur les murs qu'on appelle graffitis
les palissades : les barrières en planches
une rétrospective : une exposition où l'on présente l'ensemble des œuvres d'un artiste depuis ses débuts.

3

intégrer : faire entrer dans
s'est métamorphosée : s'est transformée

2 Avec les soixante musées parisiens, le public en verra de toutes les couleurs : archéologie, costumes, céramique, ivoires, mosaïques, peinture, photo, ameublement, personnages en cire, vidéo, histoire du pain, etc. Pas moins de quatre-vingt-dix expositions sont inscrites au programme. La confusion étant à l'ordre du jour, une sélection s'impose. [...]

Du 1er mai au 30 septembre, le musée des Arts africains et océaniens dresse un panorama de la peinture populaire sénégalaise. Entre la Figuration libre et l'art naïf, les peintres d'enseignes développent une expression où l'humour fait bon ménage avec l'anecdote. [...]

Grâce à « Paliss'art », les graffitistes sont présents à l'appel : trente peintres s'exécuteront en plein air, devant le public, sur les palissades de deux chantiers, rue de Bagnolet et rue David-d'Angers. Peinture en pot et bombes (de couleur) sont fournies aux artistes. Date du coup d'envoi : le 24 mai.

Le musée de Montmartre, pour sa part, prépare une rétrospective Foujita, le plus parisien des Japonais (date non encore fixée).

L'Express, 30 avril au 7 mai 1987.

Station Cluny-Sorbonne : plafond orné par Bazaine.

3 Mais oui, la R.A.T.P. peut faire des miracles ! Poursuivant son souci d'intégrer l'art dans la ville souterraine, elle ouvre aujourd'hui au public une station fermée depuis 1939. Voûte ornée par une œuvre du peintre abstrait français Jean Bazaine, couloirs d'accès et salle d'échanges de la gare Saint-Michel du R.E.R. décorés par un autre artiste, Claude Maréchal, la nouvelle station de métro Cluny-Sorbonne s'est métamorphosée en haut lieu de l'art et de la contemplation !

L'Express, 30 avril au 7 mai 1987.

POUR MIEUX COMPRENDRE

1

VRAI OU FAUX ?

Texte 1

1. Paris est une ville qui compte
a. beaucoup de musées   V ☐ F ☐
b. Ils sont presque tous au même endroit   V ☐ F ☐
c. Peu de gens les visitent   V ☐ F ☐
d. Un musée ne présente que des objets de valeur   V ☐ F ☐
e. Le tombeau de Napoléon attire toujours beaucoup de visiteurs   V ☐ F ☐
f. Les peintres impressionnistes sont très admirés   V ☐ F ☐
2. Établissez le classement des musées les plus visités, les plus connus de la capitale.

2

1. Dressez la liste de tous les musées cités dans les textes **1** et **2**.

2 Ces musées ne sont pas tous consacrés à des œuvres d'art comme des toiles ou des statues.
a. Relevez dans les textes tout ce qu'on peut y trouver d'autre.
b. Définissez tous les domaines auxquels les musées s'intéressent.

3

Texte 2

1. Qu'est-ce que le « Paliss'art » ?
2. Quels mots du texte l'expliquent ?
3. Cet « art » est-il pratiqué dans votre pays ?

4

Quelle définition donneriez-vous du mot « musée » ? Les quelques questions ci-après vous aideront sans doute :

- Est-ce un lieu de culture ou de distraction ?
- Est-il réservé à une élite ?
- Présente-t-il toujours des objets de valeur ?
- Est-il public ou privé ?
- La visite est-elle payante ou gratuite ?
- En général y a-t-il beaucoup de visiteurs ?

5

Texte 3

1. Que signifient les sigles : R.A.T.P., R.E.R. ?
2. Pourquoi dit-on que la R.A.T.P. poursuit *« son souci d'intégrer l'art dans la ville souterraine »* ?
3. D'après vous, est-ce une bonne idée de présenter des œuvres d'art dans une station de métro ? Pourquoi ?

11 Grammaire

Forme passive

Seuls les verbes qui se construisent avec un complément d'objet direct peuvent se mettre au passif.
Le passif se forme avec l'auxiliaire **être + le participe passé du verbe.**

	indicatif				conditionnel	subjonctif	impératif	infinitif	participe
	présent	futur	imparfait	passé simple	présent	présent	présent	présent	présent
temps simples	elle est décorée	elle sera décorée	elle était décorée	elle fut décorée	elle serait décorée	qu'elle soit décorée	sois décorée	être décorée	étant décorée
	futur antérieur	passé composé	plus-que-parfait	passé antérieur	passé	passé		passé	passé
temps composés	elle aura été décorée	elle a été décorée	elle avait été décorée	elle eut été décorée	elle aurait été décorée	qu'elle ait été décorée		avoir été décorée	ayant été décorée

Remarque : Attention de ne pas confondre le présent passif et le passé composé des verbes actifs employés avec l'auxiliaire être.
Exemple : **présent passif :** *il est orné* **passé composé :** *il est venu*

1

Quelles sont les formes passives ?
a. Je suis allé(e) au musée d'Orsay.
b. J'y suis arrivé(e) à 10 heures.
c. Les tableaux sont installés partout.
d. Ils sont vus par de nombreuses personnes.
e. Je suis passé(e) devant de magnifiques tableaux.
f. Je suis resté(e) à les regarder.
g. La vie des peintres est racontée. Leurs œuvres sont expliquées.
h. De nombreuses expositions sont présentées.
i. Je suis parti(e) juste avant la fermeture.

2

Remplacez *je* **par** *nous* **et** *tu* **par** *vous*, **puis** *je* **et** *tu* **par** *il*, **puis** *je* **et** *tu* **par** *elles*. **Reproduisez cette conversation par groupes de deux :**
a. Je suis augmenté par le patron lui-même.
b. Tu es toujours employé dans une société portugaise ?
c. Non, je suis accepté dans une multinationale.
d. C'est vrai ! Tu es connu dans l'import-export !

3

Par groupes, faites 5 phrases à la forme passive.
Exemple : *En ce moment, elle est employée par une multinationale.*

Hier	je (j')	(recevoir)	par des amis.
En ce moment	vous, tu	(employer)	par une multinationale.
Ce matin	il, ils	(inviter)	par ses parents.
Aujourd'hui	elle, elles	(soigner)	par son médecin.
Demain	on, nous	(reconnaître)	par des télespectateurs.

La phrase passive

A. Une œuvre du peintre Bazaine **orne** la voûte de la nouvelle station Cluny-Sorbonne.

sujet	: une œuvre
verbe au présent	: orne
forme active	
complément d'objet direct	: la voûte

La voûte de la nouvelle station Cluny-Sorbonne **est ornée par** une œuvre du peintre Bazaine.

sujet	: la voûte
verbe au présent	: est ornée
forme passive	
complément d'agent	: par une œuvre

B. La R.A.T.P. peut **faire des miracles** → **Des miracles peuvent être faits par la R.A.T.P.**
Le **complément d'objet direct** de la **phrase active** devient le **sujet** de la **phrase passive**. Le **sujet** de la **phrase active** devient le **complément d'agent** de la **phrase passive**. Le complément d'agent est introduit par la préposition *par* (**A**), ou *de*.
On choisit le passif pour mettre le sujet de la phrase passive en évidence (**A** : la phrase active parle de l'œuvre du peintre Bazaine ; la phrase passive de la voûte de la nouvelle station Cluny-Sorbonne).

■ En principe, le passif n'est pas employé si le sujet de la phrase active est un pronom.
Exemple : *J'ai vu l'œuvre de Bazaine* ne se tranforme pas en : *L'œuvre de Bazaine a été vue par moi.*

■ Si le sujet de la phrase active est un indéfini *(on, quelqu'un, quelque chose)*, il n'y a pas de complément d'agent au passif.
Exemple : *On a ouvert une nouvelle station → Une nouvelle station a été ouverte.*

■ On emploie quelquefois, à la place du passif, **se faire + infinitif**, si le sujet est une personne.
Exemple : *Paul est soigné par un excellent médecin* ou *Paul se fait soigner par un excellent médecin.*

■ Attention ! dans la construction **pouvoir + infinitif**, le complément d'objet direct de l'infinitif devient sujet de la phrase et c'est **l'infinitif** qui se met au **passif (B)**.

4

Faites des phrases à la forme passive.
Exemple : *On fournit la peinture aux artistes → La peinture est fournie aux artistes.* **Quelle est la phrase qui ne peut pas se mettre au passif ?**
a. Le musée des Arts africains et océaniens dresse un panorama de la peinture sénégalaise.
b. On peut créer facilement un musée.
c. Trente peintres exécuteront des œuvres en plein air.
d. Le musée de Montmartre prépare une rétrospective Foujita.
e. Les touristes sillonnent la capitale dans toutes les directions.
f. Les musées parisiens drainent plus de dix millions de spectateurs.
g. À la station Cluny-Sorbonne, le métro passe sous la voûte décorée par Bazaine.
h. Le musée Grévin expose les personnages les plus connus des siècles passés et du nôtre.
i. N'importe qui peut utiliser le mot « musée ».

5

Mettez les phrases suivantes à l'actif :
a. Le record du 400 mètres a été battu par une jeune bordelaise.
b. Un des pays les plus pauvres d'Afrique est frappé par des inondations catastrophiques.
c. L'espace aérien a été survolé par un avion-fantôme.
d. La mort du général Tron est attribuée à un attentat.
e. Bien qu'aucun nom ne soit prononcé, il est clair que les autorités cherchent des responsables du côté des groupes terroristes.
f. Ce tragique accident peut être attribué à un acte de sabotage car aucun message n'a été enregistré par la boîte noire de l'appareil.
g. Après le krach, une mauvaise période pour l'économie avait été annoncée par tous les experts.

6

Imaginez que vous êtes guide dans un musée (un musée que vous connaissez bien ou un musée que vous inventerez). Organisez la visite et commentez les tableaux.
Exemple : *Ce tableau a été peint par ..... en ..... Il a été offert à ce musée par ..... Le personnage est représenté ..... La scène est peinte .....* etc.

Forme pronominale

A. Pierre ne **s'est** pas **souvenu** de mon nom au moment de me présenter à son patron.

B. Je **me lave.**

C. Roméo et Juliette **se sont embrassés** (= Roméo a embrassé Juliette et Juliette a embrassé Roméo).

D. La voûte de la station Cluny-Sorbonne **s'orne** d'une œuvre de Bazaine (= la voûte est ornée d'une œuvre).

Formes

Un verbe à la **forme pronominale** aux personnes *je, tu, nous, vous,* est toujours précédé de deux pronoms. Ces deux pronoms sont à la même personne (forme sujet et forme complément d'objet direct : *je me, tu te, nous nous, vous vous*).
À la 3ᵉ personne, le verbe pronominal est précédé du pronom réfléchi *se* ou *s'.*
Aux temps simples, la conjugaison est la même que celle de l'actif (**B** et **D**). Aux temps composés, c'est l'auxiliaire *être* qui est toujours employé (**A** et **C**).

Emplois

Certains verbes ne s'utilisent qu'à la **forme pronominale (A)**.
Certains verbes peuvent s'employer à l'actif, au passif et à la forme pronominale. Ils peuvent avoir un sens **réfléchi (B)**, **réciproque (C)** ou **passif (D)**.

7

Reconnaissez les formes actives et les formes pronominales. Précisez le sens de ces dernières :
a. Au Paliss'art, trente peintres s'exécutent en plein air.
b. On est sûr de se retrouver.
c. On n'est pas sûr de les retrouver.
d. Il ne s'intéresse pas à l'opéra.
e. L'opéra ne l'intéresse pas.
f. Il ne s'est pas encore créé de musée de la moutarde.
g. Le musée de la moutarde ? Personne ne l'a encore créé.
h. Van Gogh s'est consacré très tôt à la peinture.
i. Je te raconte l'histoire de mon frère. Tu m'écoutes ? Je vais m'énerver si tu continues à te couper les ongles sans m'écouter.

POUR ÉCRIRE SANS FAUTE

Noms finissant en [yʀ]

 La voiture du futur ? On n'arrête pas d'en parler.

8

Écoutez l'enregistrement. Écrivez d'un côté les noms qui finissent comme *voiture*, de l'autre celui qui finit comme *futur*.

9

Écrivez les adjectifs [dyʀ] et [syʀ] au masculin et au féminin singulier. Quand y a-t-il un accent circonflexe ?

La ruée vers l'art

11 Instantanés

RICHESSES DU PATRIMOINE

4

LES RESTES
D'UN MONDE INVISIBLE

Les églises sont les lieux les plus visités par les touristes ; la fréquentation des châteaux ne cesse de progresser depuis 1980, et des bénévoles débroussaillent des ruines un peu partout. La journée portes ouvertes dans les monuments historiques, qui attendait 100 000 visiteurs lors de son lancement en 1984, en a eu 500 000. Devenue rendez-vous annuel, elle connaît un succès croissant et a déplacé 1,5 million de personnes en 1987.

Les commentaires s'épuisent pour interpréter cet engouement soudain, qui se traduit par le besoin d'un contact direct avec les monuments (les émissions de télévision sur le patrimoine ont toujours eu des audiences médiocres), et la réticence à les voir banalisés par des réutilisations quotidiennes : les vieilles pierres semblent constituer un héritage qu'il faut honorer, mais ne pas toucher. « Ce sont les restes visibles d'un monde devenu depuis peu invisible. »

L'Express, 1-7 avril 1988.

Ci-dessus, le musée d'Orsay. Ci-contre, restauration de l'Arc de Triomphe.

En haut, à droite, PICASSO-Autoportrait.

POUR S'EXPRIMER

6

DÉFINITION

Selon vous, qu'est-ce qu'un « monument historique » ? Quels sont les différents éléments qui peuvent en faire la valeur ?

7

1. D'après le texte **4,** quels sont, en France, les monuments les plus visités ?
2. Comment peut-on expliquer leur succès ? (Pensez notamment à ce qu'ils représentent, indépendamment de leur beauté.)
3. Dans votre pays, quels sont les lieux les plus visités ? Pourquoi ?

8

1. Qu'est-ce qu'une journée « portes ouvertes » ?

2. Pourquoi ce genre d'inititiatives a-t-il plus de succès qu'une émission de télévision consacrée au patrimoine ?
3. Y a-t-il des journées de ce genre dans votre pays ? Pour faire connaître quoi ?
4. Décrivez le monument de votre ville ou de votre pays qui mériterait l'organisation d'une journée de ce genre.

9

IMAGINONS

1. Connaissez-vous des monuments qui ont été « banalisés », c'est-à-dire qui ont actuellement une utilisation autre que celle prévue au moment de leur construction ? Pouvez-vous en citer ?
2. Quelle(s) banalisation(s) proposeriez-vous par exemple pour :
• une église / une chapelle,
• un château,
• une (grande) maison,
• un vieux bâtiment de ferme.

1

Écoutez une première fois le texte, sans prendre de notes.

2

Lisez les affirmations suivantes, puis écoutez la première partie du texte (jusqu'à « *vous le voyez maintenant* »). Cochez la réponse exacte.

a. L'Hôtel Salé porte le nom de son constructeur. V ☐ F ☐

b. Dans cet Hôtel on venait payer l'impôt sur le sel. V ☐ F ☐

c. Haubert de Fontenay s'est sans doute enrichi grâce à cet impôt. V ☐ F ☐

d. Cet Hôtel a été une école secondaire. V ☐ F ☐

e. Balzac y a vécu et écrit « Eugénie Grandet ». V ☐ F ☐

f. L'État est le propriétaire actuel de ce musée. V ☐ F ☐

Picasso (Pablo Ruiz Blasco y Picasso, dit Pablo) (Málaga, 1881 – Mougins, 1973), peintre, dessinateur, graveur, sculpteur et céramiste espagnol ; l'artiste le plus célèbre du XXᵉ s. Attaché à la représentation traditionnelle dans sa « période bleue » (1901-1904) et sa « période rose » (1905-1907), il jette les prem. bases du cubisme (V. ce mot) avec les fameuses *Demoiselles d'Avignon* (1907, Museum of Modern Art, New York), puis invente le collage (*Nature morte à la chaise cannée*, 1912). Vers 1920-1921, la période dite « romaine » et, dans une certaine mesure, la manière néo-classique dont il fait usage parallèlement semblent traduire une nostalgie du volume sculptural, mais il revient aussitôt à une certaine forme de cubisme (*Trois musiciens*, 1921). En 1925, *la Danse* (Tate Gallery, Londres) annonce le style qui demeurera le sien jusqu'à sa mort. Jusqu'à la fin de sa vie, il a exécuté un nombre considérable d'œuvres « expressionnistes » ou « baroques », avec fougue, violence (*Guernica*, 1937, le Prado, Madrid), verve et, parfois, précipitation. – Des musées Picasso existent à Antibes, Barcelone et Paris.

3

Lisez l'article consacré à Pablo Picasso.
Écoutez ensuite la deuxième partie du texte et complétez le tableau, en notant, face aux extraits de l'article, ce que le guide : a dit, n'a pas dit, a ajouté.

4

Est-ce, selon vous, un bon ou un mauvais guide ? Pourquoi ?

extraits de l'article	le guide a dit	n'a pas dit	a ajouté
1881-1973			
Espagnol			
peintre, dessinateur, graveur, céramiste			
périodes : bleue : 1901-1904 rose : 1905-1907 cubiste collages : 1912 romaine : 1920-21 expressionnisme			
Musées à Paris, Barcelone, Antibes.			

11 Instantanés

5

Restauration-trahison ?

A-t-on le droit de restaurer l'ancien ? La question a beaucoup agité ce XIXe siècle qui inventa la notion de « monument historique ». La réponse a d'abord été une violente polémique, aux arguments purs et sans compromis, entre deux extrémistes, le Britannique Ruskin et le Français Viollet-le-Duc. « La restauration signifie la destruction la plus complète que puisse subir un édifice. Entourez-le de soins, et, si vous n'y parvenez pas, que sa dernière heure sonne ouvertement et franchement », affirme le premier, tandis que le second prétend que « restaurer un édifice, c'est le rétablir dans un état complet qui peut n'avoir jamais existé à un moment donné », en corrigeant même les « erreurs de style ». La ruine travaillée par le temps est, aux yeux de Ruskin, le stade ultime et le plus exaltant d'un édifice. Viollet-le-Duc, qui fut un théoricien malheureusement doublé d'un praticien, se permit, en tant qu'architecte en chef, de reconstruire le château de Pierrefonds, les remparts de Carcassonne et une partie de la cathédrale de Paris.
L'Express, **1-7 avril 1988.**

**Château de Pierrefonds : en haut, les ruines
(avant restauration) ; en bas, maquette de restauration de Viollet-le-Duc.**

POUR S'EXPRIMER

10
POLÉMIQUE

« Les vieilles pierres semblent constituer un héritage qu'il faut honorer mais ne pas toucher. » (texte **4**)
1. Deux théories opposées sont présentées dans le texte **5**. Pouvez-vous les résumer ?
2. À laquelle de ces deux théories correspond la phrase citée ?
3. Avec laquelle de ces théories êtes-vous d'accord ?

11
DÉBAT

1. Les vieilles pierres peuvent-elles nous apporter quelque chose ?
2. Vaut-il mieux conserver un édifice en le restaurant ou en le « banalisant », ou le laisser tel quel ?

3. La protection du patrimoine architectural et monumental doit-elle être un impératif de notre époque ?

12

Dans votre pays, y-a-t-il une politique de protection du patrimoine ?
1. Si oui, comment se traduit-elle ? Donnez des exemples.
2. Si non, devrait-il y en avoir une ? Quelle forme devrait-elle prendre ?

13
À VOTRE AVIS

1. Que restera-t-il sur le plan architectural de notre époque ?
2. Choisissez un monument moderne qui mérite selon vous d'être conservé et dites pourquoi.

Douzième leçon

BIEN DANS SA PEAU... 12

SEMPÉ.

12 Démarrage

NOBLESSE DU SPORT

1 Pendant une heure et demie de jeu, qu'ai-je fait sinon accepter ? Accepter d'un cœur mâle et libre, c'est-à-dire consentir avec regret et en approuvant. J'ai accepté que le soleil se cachât lorsqu'il eût gêné nos adversaires, pour se montrer quand c'était nous qu'il gênait. J'ai accepté que le vent soufflât quand il était contre nous et tombât quand il eût été pour nous. J'ai accepté de faire ma partie dans des combinaisons de jeu que je jugeais vouées à l'échec [...]. J'ai accepté des efforts et des fatigues que je savais inutiles [...]. J'ai accepté dix fois que l'arbitre jugeât à notre détriment, et je n'ai rien dit.

Henry de Montherlant, *Les Olympiques,* **Gallimard.**

2 J'ai choisi l'alpinisme solitaire, car dans nulle autre activité, je n'ai retrouvé cette alliance de l'effort physique et moral. Grimper seul l'hiver, c'est retrouver une certaine pureté, un certain esprit d'aventure qui nous ramènent aux temps héroïques des premiers alpinistes.

Dans ces conditions extrêmes que reste-t-il du plaisir de grimper, de la joie d'être en montagne ? Je ne saurais répondre qu'en mon nom : plaisir et joie sont encore au rendez-vous de l'aventure malgré les nuits glaciales, malgré le poids parfois écrasant du sac.

J'ai entendu souvent parler des alpinistes, surtout des alpinistes solitaires comme d'égoïstes fermés sur eux-mêmes. Individualistes, les grimpeurs le sont certainement, mais est-ce être égoïste que de dépenser en montagne un excès de forces ? Les ascensions solitaires, loin de me retrancher du monde, me rapprochent des autres, m'aident à travailler, à aimer, à comprendre.

D'après Nicolas Jaeger, l'*Express,* **février 1977.**

LEXIQUE

1

d'un cœur mâle : ici, avec courage et sans plainte
des combinaisons de jeu : une organisation précise de manœuvres, de mouvements en vue de gagner
vouées à l'échec : perdues d'avance
à notre détriment : à notre désavantage

2

l'alpinisme : l'ascension en montagne
les temps héroïques : les premiers temps, l'époque fondatrice
les conditions extrêmes : les conditions les plus difficiles
me retrancher du monde : m'écarter de la société, m'isoler

1

DES MOTS

Complétez le tableau suivant avec le plus de mots possibles :

- discipline : natation,..............................
- accessoires : survêtement, ...
- instruments : ballon, ...
- compétition : match,..............................
- lieux : stade, ...

2

Texte 1

1. Dites quel est le verbe répété à plusieurs reprises.
2. Ce verbe évoque une contrainte fondamentale du sport collectif : laquelle ?

3

Le football, le rugby, le basket... tous ces sports d'équipe obéissent à des règles que les joueurs doivent toujours prendre en compte.
1. Relevez dans le texte les contraintes dues :
a. au sport lui-même.
b. aux personnes qui participent à ce sport.
c. aux éléments extérieurs (cadre, moment, conditions atmosphériques).
2. Complétez avec ce que vous savez des règles de ces sports.
3. Quelle(s) contrainte(s) subsiste(nt) dans le sport individuel ?

4

Texte 2

1. D'après le texte, quels sont les mobiles des alpinistes solitaires ?
2. Énoncez les avantages et les inconvénients de cette discipline.
3. Quelles sont les grandes expéditions ou ascensions dont vous avez entendu parler ?

5

L'auteur du texte **2** définit l'alpinisme solitaire comme « *l'alliance de l'effort physique et moral* ».
Classez les mots et les expressions du texte en deux groupes : ceux qui évoquent l'aspect physique de ce sport, ceux qui en évoquent l'aspect moral.

6

1. Montrez comment, par sa structure, ce texte constitue une sorte de plaidoyer pour l'alpinisme en solitaire :
a. À quoi correspond la première partie ? Quelle est sa finalité ?
b. Dans quelle mesure les 2e et 3e parties sont directement reliées à la 1re ?
c. Pourquoi, en fonction du début du texte, la dernière phrase est-elle une bonne conclusion ?
2. Donnez un titre à ce texte.
Résumez chacune des trois parties en une phrase brève, présentant son caractère spécifique.

12 Grammaire

Formes verbales littéraires

Formes verbales littéraires : **subjonctif imparfait** et **plus-que-parfait**.

A. J'ai accepté que le vent **soufflât** quand il était contre nous (usage courant : que le vent souffle).

B. J'ai accepté que le soleil se **cachât** lorsqu'il **eût gêné** nos adversaires (usage courant : se cache lorsqu'il aurait gêné).

C. J'ai exigé qu'on **fît** entrer les locataires avant que l'appartement **eût été repeint.**

Formation

■ **L'imparfait du subjonctif** se forme à partir de la 3ᵉ personne du singulier du passé simple.
Exemple : *il oublia → que j'oubliasse, que tu oubliasses, qu'il oubliât, que nous oubliassions, que vous oubliassiez, qu'ils oubliassent.*
Toutes les formes de la 3ᵉ personne du singulier se reconnaissent à la présence d'un accent circonflexe et d'un *-t* final.
Phonétiquement, ces formes sont les mêmes que celles du passé simple.

■ **Le plus-que-parfait du subjonctif** se forme avec l'imparfait du subjonctif de l'auxiliaire et le participe passé.

Emplois

■ **L'imparfait** et **le plus-que-parfait du subjonctif** sont des formes que l'on rencontre **à l'écrit**, dans les **textes littéraires**. Seule la *troisième personne du singulier* est couramment utilisée. On la confond souvent avec l'indicatif passé simple. **L'imparfait** s'emploie dans la subordonnée pour exprimer **la simultanéité** par rapport à un verbe principal au passé **(A)**, **le plus-que-parfait l'antériorité** par rapport aux verbes qui le précèdent **(B** : *eût gêné* marque l'antériorité par rapport à : *se cachât*).

■ Dans la langue courante :
• l'imparfait est remplacé par le présent **(A)**,
• le plus-que-parfait est remplacé par le passé (**C** : *avant que l'appartement ait été repeint* ; cf. *Bonne route 2*, leçon 8).

temps du verbe principal (indicatif)	temps du verbe subordonné (subjonctif)
A – présent ou futur (j'accepte)	1 – présent (qu'il souffle)
	2 – imparfait (qu'il soufflât)
B – temps du passé (j'ai accepté)	3 – passé (qu'il ait soufflé)
	4 – plus-que-parfait (qu'il eût soufflé)

• Le plus-que-parfait est parfois employé, dans les textes littéraires, à la place du conditionnel passé ; on l'appelle alors conditionnel passé 2ᵉ forme **(B)**.

	avoir	être	oublier	écrire	recevoir	venir
indicatif passé simple	il eut	il fut	il oublia	il écrivit	il reçut	il vint
subjonctif imparfait	qu'il eût	qu'il fût	qu'il oubliât	qu'il écrivît	qu'il reçût	qu'il vînt
subjonctif plus-que-parfait	qu'il eût eu	qu'il eût été	qu'il eût oublié	qu'il eût écrit	qu'il eût reçu	qu'il fût venu

1

a. Relevez dans le texte 1 les subjonctifs à l'imparfait et ceux qui sont au plus-que-parfait.
b. Mettez les verbes du texte au subjonctif à la forme qu'ils auraient dans la langue courante.

2

Mettez les verbes suivants à l'indicatif passé simple ou à l'imparfait du subjonctif (dans ce dernier cas, donnez également la forme du verbe en langue courante).
a. Dès qu'il (avoir) un peu de temps, il (aller) rendre visite à son oncle.
b. Le jeune homme s'y (prendre) si mal, qu'il ne (parvenir) pas à rester seul avec la jeune fille.

c. Émilie (dire) tant de bêtises qu'elle (finir) par énerver tout le monde.
d. Sa mère lui (téléphoner) dix fois pour qu'il (conclure) cette affaire avant son retour.

Compléments d'objet et compléments circonstanciels

Synthèse, (cf. *Bonne Route 2*, leçon 8).

A. J'ai choisi **l'alpinisme solitaire** ; je l'ai choisi **pour des raisons** physiques et morales.

B. Je retrouve **un esprit d'aventure** qui **me** ramène **aux temps héroïques.**

C. Il fait **de l'escalade en hiver. En hiver**, il fait **de l'escalade. L'hiver**, il fait **de l'escalade. Il fait de l'escalade l'hiver.**

D. J'éprouve une grande joie quand je suis **en montagne** ; quand j'**y** suis, je me sens bien.

le complément d'objet		le complément circonstanciel
direct	**indirect**	
Il se construit sans préposition **(A)**.	Il se construit avec une préposition : *à* ou *de* **(B)**.	Il se construit avec un grand nombre de prépositions **(A)**, **(C)** et quelquefois sans préposition **(C)**.
Il peut être remplacé par un pronom : *le*, *l'*, *la*, *les* **(A)**.	Il peut être remplacé par un pronom : *lui*, *elle*, *soi*, *d'elle*, *de lui*, *se*, *s'*, *en*, *y* (**B** : qui me ramène aux temps héroïques = qui m'*y* ramène)	Il ne peut pas être remplacé par un pronom sauf *en* et *y* pour le complément de lieu **(D)**.
Il ne peut pas être déplacé.	Il peut se déplacer (mais c'est rare).	Il peut souvent être déplacé **(C)**.

Je fais du ski en hiver. Je préfère l'escalade en été.

3

Voici une série de prépositions qui introduisent des compléments circonstanciels :

temps	**avant, après, pendant, depuis, au moment où**
lieu	**dans, sous, sur, devant, près de, derrière, chez**
manière	**avec, par, à**
cause	**à cause de, par, en raison de**
but	**pour, en vue de**
conséquence	**de façon à**
comparaison	**à la façon de, à la manière de, selon, suivant**

Par groupes, choisissez un événement (par exemple un accident) **et racontez-le en donnant un maximum d'informations sur les circonstances. Commencez par faire un dessin** (plan, schéma des voitures, etc.). **Vous pouvez partir d'un article de journal.**

Attention ! La préposition *par* employée après un verbe au passif introduit généralement un complément d'agent (cf. *Bonne route 2*, leçon 11). Exemple : *Le soleil est caché par les nuages.*
Dans les autres cas, *par* introduit un complément circonstanciel. Exemple : *J'ai choisi l'alpinisme par esprit d'aventure.*

4

Cherchez dans les textes des compléments circonstanciels. Déplacez-les.

5

L'étudiant A cache un objet (mouchoir, crayon, etc.) **quelque part dans la classe. L'étudiant B pose des questions précises pour savoir où est l'objet.**
Contrainte : **l'étudiant B doit employer un complément circonstanciel dans chaque question :** « *L'objet est-il près de la fenêtre ? sous une table ? dans un sac ?* ». **L'étudiant A répondra en reprenant le complément circonstanciel ou un pronom quand il le peut :** « *près de la fenêtre, il n'y est pas ; sous une table ou dans un sac, il n'y est pas non plus* ».

POUR ÉCRIRE SANS FAUTE

Mots finissant en [waʀ]

 Bonsoir mesdames, bonsoir mesdemoiselles, bonsoir messieurs...

6
Écoutez l'enregistrement. Classez les mots dans les colonnes, puis vérifiez dans un dictionnaire.

verbes finissant en		noms finissant en	
-oir	-oire	-oir	-oire

7

Quelles sont les différentes façons d'écrire l'adjectif [nwaʀ] ? Pourquoi ?

12 Instantanés

EN FORME !

3

Le mouvement, c'est la vie

Nos contemporains sont toujours plus nombreux à se préoccuper de maintien en forme. Pourquoi prône-t-on tellement l'activité physique ? Parce que c'est justement le manque d'exercice de nos facultés, aussi bien physiques que mentales, qui entraîne leur dégradation.

« On vieillit autant par manque d'usage que par usure, affirme Yves Camus, de l'Institut national du sport et de l'éducation physique. Le mouvement, c'est la vie : notre corps est fait pour l'action et si, peu à peu, il n'est plus capable de répondre aux exigences physiques de la vie quotidienne, le psychisme déclinera aussi. »

Une bonne forme physique permet de rester pleinement autonome et indépendant, et de maintenir ses relations avec le monde extérieur.

Isica, oct. 1987.

POUR S'EXPRIMER

7

À VOTRE AVIS

Texte 3

1. Dans ce texte, quelles sont les raisons invoquées pour justifier l'importance du « mouvement » ?

2. Cherchez les autres raisons qui peuvent expliquer le mode du sport et l'importance donnée au corps actuellement, en France et dans d'autres pays.

8

On peut distinguer deux types de profession : les professions actives et les professions sédentaires.

1. Citez un certain nombre de professions « actives ». Quel genre d'activités physiques pourriez-vous conseiller aux gens qui exercent ces professions ?

2. Citez maintenant des professions « sédentaires » et conseillez-leur de la même façon une activité sportive.

3. Et vous, éprouvez-vous le besoin de bouger ? En permanence ou plutôt à certains moments ?

4

LE STRETCHING

On l'appelle aussi gym de l'étirement. Il existe deux types de stretching : simple (c'est celui qu'on conseille aux débutantes), on garde la position sans bouger de 10 à 30 secondes ; et complet, on force un peu ensuite sur la position jusqu'à sentir une légère tension qu'il faut de nouveau garder de 10 à 30 secondes. Plus difficile mais plus profond, évidemment. Attention à votre respiration. Quand vous vous penchez en avant pour un étirement, expirez en même temps que vous courbez le corps. Pendant que vous restez en position, respirez lentement. Ne retenez pas votre souffle. Si une position bloque votre respiration, c'est que vous n'êtes pas vraiment détendue. Relâchez votre effort pour respirer sans contrainte.

Belle, Yves Rocher, sept.-oct. 87

POUR S'EXPRIMER

9
POINT DE VUE

1. Il est des sports que l'on ne peut pratiquer toute sa vie. Lesquels ? Pourquoi ?

2. Quel sport pratiquez-vous ou aimeriez-vous pratiquer ?

10
DÉFINITION

1. Faites correspondre chacune de ces activités à sa définition.

a. body building — marcher rapidement pour se détendre
b. footing — chercher à s'étirer à étirer son corps
c. stretching — courir sans aller trop vite
d. jogging — faire des mouvements pour développer ses muscles, son corps.

2. Pourquoi a-t-on recours à des termes anglais ?

3. Comment les traduiriez-vous, de façon qu'ils soient suffisamment clairs en français ? (Vous pouvez avoir recours à un mot seul ou à une paraphrase. Par exemple : footing = « *pied-rapide* » ou « *marche de détente* ».) Comparez vos résultats.

11

Texte 4
Relisez plus attentivement le texte, puis, sans le regarder, reliez les phrases qui se complètent, se correspondent :

1. On fait du stretching	**a.** on expire
2. On se penche	**b.** on bloque la respiration
3. On garde la position	**c.** on fait de l'étirement
4. On est détendu	**d.** on respire lentement
5. On retient son souffle	**e.** on ne sent aucune contrainte
	f. on courbe le corps

12

1. D'après le texte sur le « stretching », quels sont les objectifs de cette gymnastique ?

2. Énoncez les différences entre ce type de gymnastiques, qu'on appelle aussi gymnastiques « douces », et les sports classiques, qu'ils soient individuels ou collectifs.

13
SONDAGE

1. Établissez le classement des trois premières activités physiques pour les trois catégories évoquées dans le sondage **5.**

2. Comment pouvez-vous expliquer le succès des activités « gym, footing, jogging » ?

3. Recherchez tous les facteurs qui peuvent expliquer le déclin de la pratique sportive avec l'âge.

12 Instantanés

5

Entre 15 et 24 ans : toujours moins.
Quel que soit le type de sport, la pratique d'une activité physique diminue avec l'âge.

	15-19 ans %	20-24 ans %	Ensemble de la population %
Possèdent des articles de sport au foyer	71	55,5	43,7
Pratique d'une activité physique	63,4	44,7	45,9
– régulièrement	36,5	19,1	26,1
– de temps en temps	18,1	13,9	12,9
– rarement	6,1	8	4,3
– seulement en vacances	2,7	3,7	2,6
Pratiquent : gymnastique, footing, jogging, etc.	75,6	52,6	34,8
dont régulièrement	48	20,3	17,3
– sports individuels (athlétisme, judo, natation, tennis, ski, etc.)	61,3	54	31,9
dont régulièrement	28	22,9	12,9
– des sports d'équipes (football, basket, volley, rugby, etc.)	53,3	27,6	15,8
dont régulièrement	33,4	14,2	7,5
Promenade à la campagne ou en forêt	80,5	83,2	72,1

Source : pratiques culturelles des 15-24 ans, ministère de la Culture, 1983.

 À L'ÉCOUTE DE...

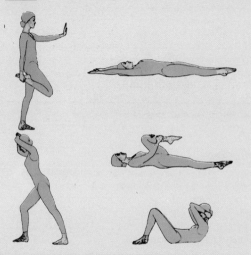

1

Écoutez une première fois le document et dites à quel dessin correspond chaque indication.

2

Écoutez une deuxième fois le document et indiquez sur le schéma ci-contre quelles sont les différentes parties du corps qui travaillent pendant chaque exercice.
Cochez également ces parties dans la liste ci-après :

- avant-bras
- bras
- doigts
- dos
- fesses
- genoux
- hanches
- jambe
- mains
- pied
- plante du pied
- poitrine
- talon
- tête

FEMMES AUJOURD'HUI

13

13 Démarrage

FEMMES AUX COMMANDE

1 Le fait que les femmes travaillent n'est pas une nouveauté. Au début du siècle, la proportion de femmes actives parmi la population féminine en âge de travailler était à peu près la même qu'aujourd'hui. Mais, dans plus d'un cas sur trois, il s'agissait alors de travailleuses familiales, c'est-à-dire de femmes qui aidaient leur mari, agriculteur, artisan, commerçant, dans l'exercice de sa profession tout en s'occupant des enfants. [...]

Aujourd'hui, 84 % des femmes actives sont salariées. Leur travail, sauf exception, les éloigne désormais de leur foyer, de leur mari, de leurs enfants.

Tous les milieux sont concernés. Mais plus le milieu est aisé, moins le nombre et l'âge des enfants obligent la femme à s'arrêter de travailler. C'est donc dans les familles bourgeoises qu'on voit le plus de mères de deux et trois enfants conserver leur activité profes-sionnelle pendant toute la période où il faut les élever.

Le Monde de l'Éducation, avril 1984.

2 Je me souviens très bien des réactions du tribunal quand je m'avançais à la barre. Avec mes vingt ans, je les intriguais. On me toisait, de haut en bas. Sans hostilité d'ailleurs. « Le charme de la jeunesse. » On m'accueillait avec un sourire amusé. L'œil des magistrats devenait vague quand je commençais à plaider. Leur pensée aussi... « Qu'est-ce que cette jeune femme peut bien faire ici, à parler de choses qui ne sont ni de son âge ni de son sexe ? » [...]

Mes adversaires utilisaient très souvent contre moi le fait que j'étais une femme. Pour nos confrères masculins, trop souvent, les avocates sont avant tout des femmes qui s'essayent à des jeux d'homme. Or je ne voulais pas être une *femme qui plaide* mais une *avocate*. [...]

Si je gagnais une affaire, il m'arrivait d'entendre mon adversaire expliquer à son client, [...] :

– Qu'est-ce que vous voulez ! Elle est jeune. Elle a du charme. Elle est plaisante. Contre la séduction, nous, pauvres hommes, nous sommes bien peu de chose !

Gisèle Halimi, *La cause des femmes,* **Grasset.**

LEXIQUE

1

désormais : à partir de maintenant, dorénavant
un milieu : une catégorie sociale
aisé : qui a de bons revenus, riche
bourgeoises : ici, de milieu aisé

2

une avocate : pendant un procès elle représente ses clients et parle à leur place, qu'ils soient accusés ou « accusateurs »
les réactions : l'attitude provoquée par son arrivée

On me toisait : on me regardait avec mépris
l'hostilité : l'antipathie, la malveillance
le charme : ce qui attire, qui plaît, qui séduit
le climat : ici, l'ambiance, l'atmosphère
vague : flou, incertain ; confus

3

le C.A.P. : le certificat d'aptitude professionnelle (diplôme)
affinée : fine, délicate

3   Christine, vingt-quatre ans, 1,56 m, est la première femme à avoir obtenu un C.A.P. d'emballeuse-déménageuse. Et vous risquez d'en rencontrer d'autres car, comme le dit son employeur, « *une femme est beaucoup plus affinée qu'un homme sur les questions d'emballage. Et les clients – les clientes surtout – apprécient ses qualités de maîtresse de maison* ».

De fait, avec ses yeux bleus, ses mèches blondes, sa petite taille, Christine fait moins peur que le déménageur classique quand il s'agit d'emballer les verres de cristal ou la pendule Louis XV.

Elle s'occupe surtout des emballages, mais elle sait aussi porter une armoire de 40 kilos.

Le Monde de l'Éducation, avril 1984.

POUR MIEUX COMPRENDRE

1

Lisez le texte **1** et cochez les bonnes réponses.
1. Au début du siècle,
☐ plus
☐ autant
☐ moins de femmes que maintenant travaillaient.
2. Avant, plus du tiers des femmes actives
☐ aidaient leur mari dans sa profession,
☐ travaillaient hors de chez elles.
3. Aujourd'hui,
☐ moins de 25 %
☐ environ 50 %
☐ plus de 30 % des femmes qui travaillent ne sont pas payées.
4. Ce sont surtout les femmes
☐ des milieux aisés
☐ des milieux modestes qui ne s'arrêtent pas de travailler quand elles ont des enfants en bas âge.

2

DES EXPRESSIONS
Texte 1
Les phrases ci-dessous expriment toutes une quantité. Réécrivez-les en donnant un équivalent.
Exemple : « *La proportion des femmes actives était à peu près la même qu'aujourd'hui.* » → *Il y avait autant de femmes actives qu'aujourd'hui.*

a. « Dans plus d'un cas sur trois, il s'agissait de travailleuses familiales ».
b. « 84 % des femmes actives sont salariées ».
c. « Plus le milieu est aisé, moins le nombre et l'âge des enfants obligent la femme à s'arrêter de travailler ».
d. « C'est dans les familles bourgeoises qu'on voit le plus de mères (...) conserver leur activité ».

3

DES MOTS
Lisez le texte **2**. Quels sont les mots du texte qui ont une relation directe avec le terme « *avocate* » ?
À l'aide de ces mots, complétez le texte suivant :
Le travail d'une avocate, comme celui d'un avocat, consiste à ...., c'est-à-dire défendre les intérêts de ses ...., devant un .... composé de divers .... Toute la différence vient du fait qu'une femme exerce ce métier, ce qui étonne autant les membres du .... que ses .... masculins, surtout si elle gagne une .... Pour ses .... ses succès ne peuvent être dus qu'à son charme, sa jeunesse, en un mot, sa séduction...

4

MASCULIN / FÉMININ
1. Certains noms de métiers ont une forme féminine, d'autres non.
Seul(e) d'abord, puis en vous aidant de votre dictionnaire, cochez les formes féminines attestées.
Exemple : *Avocat* ....   *avocate*   ☒
a. Déménageur.....   déménageuse   ☐
b. Médecin...........   médecine   ☐
c. Boucher...........   bouchère   ☐
d. Ingénieur..........   ingénieuse   ☐
e. Mécanicien.......   mécanicienne   ☐
f. Aviateur...........   aviatrice   ☐
2. En groupe(s), cherchez d'autres professions, jusqu'ici essentiellement masculines, exercées aussi par des femmes.
Quelle(s) forme(s) féminine(s) proposeriez-vous ?
Exemple : *marin ... marine ? marinière ? marinette ?*
Comparez vos résultats, « retenez » les meilleurs en les justifiant.

5

1. Dans les textes **2** et **3**, relevez les qualités qu'on attribue aux femmes.
2. En groupe, établissez la liste des « avantages » et des « inconvénients » qu'il y a à être une femme pour exercer certaines professions traditionnellement réservées aux hommes.

13 Grammaire

L'accord du participe passé des verbes pronominaux

Rappel (cf. *Bonne route 2*, leçon 10).

A. La déménageuse **s'est efforcée** d'emballer tous les verres dans la même caisse.

B. **Je me suis musclé** les bras ; les bras, **je me les suis musclés**.

C. **Ils se sont adressé** des injures.

D. **Elle s'est occupée** des emballages.

E. Je vais mettre la jupe que **j'ai fait faire** en Italie.

Les verbes pronominaux se conjuguent toujours avec l'auxiliaire *être* aux temps composés. Mais le participe passé s'accorde généralement comme si l'auxiliaire était *avoir*.

■ **Le participe passé** des verbes qui ne s'emploient qu'à la forme pronominale (c'est-à-dire qui n'ont pas de complément d'objet direct : *s'accroupir, s'efforcer, s'exclamer, se méfier, se moquer, se réfugier*, etc.) **s'accorde avec le sujet du verbe (A).**

■ Pour tous les autres verbes, il faut procéder comme si l'auxiliaire était *« avoir »* : le participe **s'accorde avec le complément d'objet direct s'il est placé avant le verbe (B)** et **(D).**

Attention ! le pronom réfléchi placé avant le verbe est souvent complément d'objet indirect et ne permet donc pas de faire l'accord **(C).**

■ **Le participe passé** suivi d'un *infinitif* est **invariable (E).**

1

Mettez les phrases au passé composé.
a. Christine se risque dans le métier de déménageuse.
b. Il s'agit d'emballer des verres de cristal.
c. Elle s'occupe des armoires de 40 kilos.
d. Beaucoup de femmes se consacrent à l'éducation de leurs enfants.
e. Je me souviens des réactions du tribunal.
f. Les avocates ? Des femmes qui s'essayent à des jeux d'hommes.
g. Elle se fait accueillir avec un sourire amusé.
h. Elle ne se trouve pas jolie.
i. Elle se met des jupes.

2

Jouez au commentateur sportif.
L'étudiant A décrit un match de boxe (de judo, de football, de basket...) au passé composé.
L'étudiant B l'arrête à chaque fois qu'il entend un verbe pronominal.
L'étudiant C donne l'orthographe du participe passé.

Adjectifs et pronoms indéfinis

A. **Aucun homme** ne résistait au charme de **certaines avocates.**

B. Les juges critiquaient sa jeunesse mais **aucun** ne résistait à son charme.

C. **Personne** n'écoutait, **rien ne** faisait oublier aux juges que l'avocat était une femme.

D. **Une autre** affaire se présentait.

E. Tu **en** veux **un autre,** ou tu **en** veux **plusieurs** ?

■ **Les adjectifs et pronoms indéfinis** indiquent une relation de quantité ou de qualité dans un ensemble.

■ **Les adjectifs indéfinis** sont des déterminants ; ils font partie du groupe nominal et s'accordent avec le nom **(A).** Certains adjectifs indéfinis se combinent avec un autre déterminant **(D : une autre).**

■ **Les pronoms indéfinis** reprennent parfois des mots figurant dans la phrase **(B : aucun** = aucun juge) mais ont souvent un sens en eux-mêmes comme de véritables noms : **personne, quelque chose, rien (C), on,** etc.

■ **Aucun, certains, le même, nul, pas un, plus d'un, plusieurs, tel, tout, autre,** peuvent être adjectifs ou pronoms.

Ils se sont donné des coups...

quantité	adjectifs indéfinis	pronoms indéfinis
zéro	**aucun(e), nul(le), pas un(e)**	**aucun(e), personne, rien, nul(le), pas un(e)**
un	employé seul : **certain(e), n'importe quel(le), tel, tout (un), toute une** employé après *un, une :* **certain(e), quelconque, tel** employé après *un, une, le, l', la :* **autre, même**	**on, quelqu'un, quelque chose, l'un(e)** **un(e), autre, l'autre, n'importe qui, n'importe quoi, quiconque, qui que**

quantité	adjectifs indéfinis	pronoms indéfinis
deux ou plus	employés seuls : **n'importe quel (quelles), tel(s)-(telles), chaque (éléments séparés, pas de pluriel), tous (toutes) les, plusieurs** employés seuls ou après *les, des, de :* **différents, divers, quelques, quelconques, tels** employés seulement après *les, des, de :* **mêmes, autres**	**d'aucuns, autres (précédé d'un déterminant), certain(es), les mêmes, plusieurs, quelques-uns (unes), tous (toutes), les uns (unes)**

Remarques :

• **aucun, personne, rien, nul, pas un** sont toujours employés avec *ne (n')* devant le verbe (**A** et **C**).

• **certain, différent, divers, quelconque** sont adjectifs indéfinis quand ils sont devant le nom, adjectifs qualificatifs quand ils sont après le nom.

• L'expression familière *« un tel, Monsieur un tel »* signifie *Monsieur Machin.*

• Les pronoms **aucun, autre** (sing. ou pluriel), **plusieurs, certains,** quand ils sont placés après le verbe, entraînent la présence du pronom *en* avant le verbe (**E**).

3

Dites si, dans les phrases suivantes, les indéfinis sont adjectifs ou pronoms :

a. Chaque personne a des qualités spécifiques.
b. Aucune avocate n'a plaidé dans ce tribunal.
c. Un autre avocat a plaidé.
d. Certaines racontent n'importe quoi.
e. Certains peuvent déménager n'importe quel objet.
f. L'un muscle ses bras, l'autre ses épaules, un autre ses jambes.

... puis se sont embrassés !

Je ne suis pas n'importe qui !

Infinitif ou participe passé ?

**On me regardait plaider avec un sourire amusé.
J'ai plaidé devant des juges que cela avait l'air d'amuser.**

4

Écoutez l'enregistrement. Y a-t-il une différence de prononciation entre *« plaidé »* **et** *« plaider »* **? Entre** *« amusé »* **et** *« amuser »* **? Comment choisissez-vous ?**

• Le participe passé se trouve dans la conjugaison après les auxiliaires *être* et *avoir*. Il peut aussi être employé comme un adjectif qualificatif pour accompagner un nom. Exemple : *Elle avançait sous les regards amusés de ses collègues.*

• L'infinitif se trouve après un verbe conjugué qui n'est ni *être* ni *avoir* en construction directe *(j'aime nager)* ou après une préposition *(je demande à parler).*

• Le « truc » : remplacer la forme en [e] par un verbe comme *mettre, dire, faire. Exemple : On me regardait plaider...*
(= *dire* = infinitif) / *J'ai plaidé...* (= *dit* = participe passé).

5

Écoutez l'enregistrement. Notez dans une colonne les infinitifs, dans l'autre les participes passés.

13 Instantanés

MAIS...
FEMMES QUAND MÊME !

4

Jeannie Longo chez elle.

Enfin, les femmes qui disent « les hommes » et les hommes qui disent « les femmes », généralement pour s'en plaindre dans un groupe comme dans l'autre, m'inspirent un immense ennui, comme tous ceux qui ânonnent toutes les formules conventionnelles. Il y a des vertus spécifiquement « féminines » que les féministes font mine de dédaigner, ce qui ne signifie pas d'ailleurs qu'elles aient été jamais l'apanage de toutes les femmes : la douceur, la bonté, la finesse, la délicatesse. Il y a des vertus dites « masculines », ce qui ne signifie pas plus que tous les hommes les possèdent : le courage, l'endurance, l'énergie physique, la maîtrise de soi, et la femme qui n'en détient pas au moins une partie n'est qu'un chiffon, pour ne pas dire une chiffe. J'aimerais que ces vertus complémentaires servent également au bien de tous. Mais supprimer les différences qui existent entre les sexes, [...] me paraît déplorable, comme tout ce qui pousse le genre humain, de notre temps, vers une morne uniformité.

Marguerite Yourcenar, *Les yeux ouverts*, Le Centurion.

POUR S'EXPRIMER

6

MASCULIN / FÉMININ

« Il y a des vertus dites féminines » (...) » Il y a des vertus dites masculines. » (texte **4**)
1. Marguerite Yourcenar énonce un certain nombre de vertus « féminines » ; pouvez-vous en ajouter d'autres ? Sont-elles spécifiquement féminines ?
2. Quelles sont, selon vous, les vertus spécifiquement « masculines☐ » **? Sont-elles toutes citées dans le texte ?**

7

POINT DE VUE

Relisez la fin du texte de Marguerite Yourcenar.
1. En groupe(s) de préférence, recherchez dans quels domaines et comment se manifeste cette tendance à l'uniformité.
2. Quelles sont, à votre avis, les différences qu'il est souhaitable de supprimer ? De conserver ?

3. L'égalité des droits doit-elle selon vous entraîner une égalité des devoirs ou peut-il/doit-il y avoir, pour certaines professions, des aménagements en faveur
– des femmes ?
– des hommes ?
Illustrez votre point de vue à l'aide d'exemples précis.

8

ARGUMENTEZ

1. Y a-t-il des différences, dans le domaine du travail, qui vous semblent injustes envers les femmes ?
2. Lisez le texte **5** et dites si :
a. l'existence d'une telle loi vous semble nécessaire ou non, et pourquoi ?
b. vous jugez normal que certaines catégories professionnelles en soient exclues ?

5

FEMMES : UNE LOI GARDE-FOUS

Le travail de nuit fait l'objet d'articles bien spécifiques dans le Code du travail. Il reste en principe interdit aux femmes (entre 22 heures et 5 heures du matin). Ces dispositions ne sont pas applicables aux femmes occupant des postes de direction ou de caractère technique impliquant une responsabilité, ni à celles travaillant dans les services d'hygiène et de bien-être. De nombreuses dérogations sont accordées aux femmes travaillant dans la Défense nationale, les secteurs commerciaux, la boulangerie, la restauration, l'hôtellerie et le spectacle. Enfin, les femmes peuvent travailler de nuit à l'occasion de fêtes, de foires, d'afflux temporaire de population, ou en raison d'utilité publique. Certains secteurs fortement féminisés, comme le textile ou les composants électroniques, sont très concernés. Mais attention, la loi n'est applicable que si un accord de branche, doublé d'un accord d'entreprise, est établi.

Femme actuelle n° 178, 22-28 février 1988.

Jeannie Longo à vélo.

6

Porter une jupe... L'idée fixe de Jeannie Longo, triple championne du monde de cyclisme sur route. Ou encore faire la cuisine, du lèche-vitrines, écouter de la musique classique. « Quand je pratiquais le ski, j'avais une musculature épaisse. Avec le vélo, je me suis affinée. J'ai musclé mes bras, mes épaules. J'ai galbé mes jambes... Et je peux enfin porter des jupes ! » Portrait de femme au quotidien sportif. Sa vie, c'est la compétition. Et, lorsqu'on lui lance, provocateur : « Une femme sur un vélo, ce n'est pas vraiment féminin », elle contre-attaque : « Quand je tiens un balai, vous trouvez que j'ai l'air féminine ? » Avantage, Longo...

L'Express - Sport, juin 1987.

 À L'ÉCOUTE DE...

1

a. Qui effectue les tâches ménagères dans votre famille ?
☐ Un(e) employé(e) de maison ?   ☐ Votre mère/père ?
☐ Votre femme/mari ?   ☐ Votre sœur/frère ?

b. Quelles tâches ménagères effectuez/effectueriez-vous facilement ?
☐ Faire les courses ?   ☐ Passer l'aspirateur ?
☐ Faire le ménage ?   ☐ Laver le linge ?
☐ Faire la vaisselle ?   ☐ Autre(s) ? Lesquelles ?

2

Écoutez une première fois le texte.
De quelles tâches ménagères est-il question ?

3

Écoutez une deuxième fois le texte.
Cochez la/les réponse(s) exacte(s) :
1. Les hommes font mal les tâches ménagères
a. parce qu'ils n'ont pas appris à les faire. ☐

b. pour que les femmes les fassent à leur place. ☐
c. parce que c'est pénible pour eux. ☐

2. Faire les courses, pour les petites filles, est naturel, car
a. elles savent les faire sans apprendre. ☐
b. ce travail est indigne des garçons. ☐
c. cela fait partie de leurs obligations. ☐

3. Dans les villages, quand un garçon fait les courses
a. il ne perd jamais le porte-monnaie. ☐
b. on se moque de lui. ☐
c. il a honte. ☐

4. Actuellement on enseigne les tâches ménagères
a. aux filles seulement. ☐
b. aux garçons aussi bien qu'aux filles. ☐
c. de plus en plus aux garçons. ☐

4

Faut-il, à votre avis, enseigner aux garçons comme aux filles à faire les tâches ménagères ?

13 Instantanés

7 La fin du machisme ?

70 % des hommes accepteraient facilement de travailler sous les ordres d'une femme.
80 % que la situation de leur femme soit supérieure à la leur.
74 % que la France ait une femme comme président(e).

L'Express, Gallup, février 1984.

8 SONDAGE
La fin de tous les tabous

1. La présence des femmes dans les grandes compétitions internationales, comme les Jeux olympiques, vous paraît-elle plutôt une bonne chose ou plutôt une mauvaise chose ?

Plutôt une bonne chose	97 %
Plutôt une mauvaise chose	2 %
Ne se prononcent pas	1 %
■ Total	100 %

2. Une femme peut-elle, selon vous, à la fois pratiquer un sport à un haut niveau et être féminine ?

Oui	80 %
Non	16 %
Ne se prononcent pas	4 %
■ Total	100 %

3. Les femmes, aujourd'hui, exercent les mêmes sports que les hommes, notamment des sports de combat. Trouvez-vous cela normal ou pas normal ?

Normal	70 %
Pas normal	25 %
Ne se prononcent pas	5 %
■ Total	100 %

4. Pensez-vous que, dans les disciplines qui ne font pas appel à la force mais à la résistance, comme le marathon, les femmes pourront un jour réaliser des performances équivalentes ou meilleures que celles des hommes ?

Oui	60 %
Non	32 %
Ne se prononcent pas	8 %
■ Total	100 %

5. Dans certains sports, tels que l'équitation ou la voile, il arrive désormais que les femmes battent les hommes, cela vous paraît-il normal ou étonnant ?

Normal	76 %
Étonnant	21 %
Ne se prononcent pas	3 %
■ Total	100 %

6. Comme vous le savez, Johnny Weissmuller, qui interprétait Tarzan à l'écran, fut aussi champion olympique du 100 mètres nage libre en 1924. Depuis 1972, les femmes nagent sur cette même distance beaucoup plus vite que lui. Cela vous paraît-il normal ou étonnant ?

Normal	71 %
Étonnant	25 %
Ne se prononcent pas	4 %
■ Total	100 %

7. Lorsque vous regardez, à la télévision, une femme faire du sport, êtes-vous plutôt intéressé par son physique ou plutôt intéressé par ses performances sportives ?

Plutôt intéressé par son physique	9 %
Plutôt intéressé par ses performances sportives	44 %
Les deux	42 %
Ne se prononcent pas	5 %
■ Total	100 %

L'Express - Sport, juin 1987.

POUR S'EXPRIMER

9
CLASSEMENT
1. Peut-on considérer qu'il y a des sports « masculins » et des sports « féminins » ?
2. Essayez, en groupe(s), de dresser trois listes :
a. celle des sports qui peuvent être pratiqués indifféremment par des hommes et des femmes,
b. celle des sports qui sont plutôt « masculins »,
c. celle des sports qui sont plutôt « féminins ».
3. Comparez vos résultats.
Justifiez vos classements.

10
À VOTRE AVIS
Texte 7
En citant si possible en exemple(s) des cas de championnes sportives, dites si :
a. vous pensez que dans le domaine sportif, les femmes sont aussi considérées que les hommes,
b. elles ne doivent pas faire preuve de plus de « valeur » que les hommes,
c. le reproche qui leur est fait d'être peu féminines vous semble justifié.

11
SONDAGES
Les deux sondages (**7** et **8**) semblent indiquer qu'on accepte bien désormais l'idée que les femmes accèdent à des postes de responsabilité.
1. Pensez-vous que la réalité confirme cette hypothèse ?
2. Si ce n'est pas le cas, recherchez les éléments qui peuvent expliquer cette discordance.

12
DÉBAT
En groupe, établissez un bilan de la situation de la femme dans votre pays aujourd'hui. Recherchez ce qui a évolué depuis une vingtaine d'années et dites ce qui selon vous reste à faire.

QUAND ON A LA SANTÉ...

14

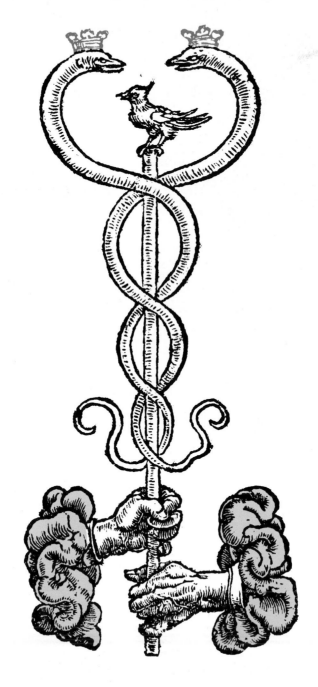

14 Démarrage

MÉDECINS ET MALADES

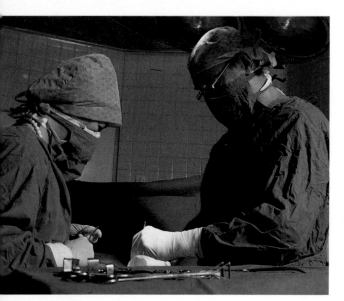

Le malade doit également être « pris en charge », sans que cette prise en charge soit celle d'un prêtre, ni celle d'un père car le médecin n'est ni un père ni un prêtre.

Léon Schwartzenberg, Pierre Viansson-Ponté, *Changer la mort*, Albin Michel.

2 Le docteur Paul aimait le métier qu'il avait choisi : celui de rendre service, de soulager, de secourir et de réconforter. Quand bien même il aurait eu la possibilité de refaire son choix, il se serait encore prononcé pour Hippocrate. Cependant depuis quelques années le malade n'était plus toujours celui qui s'attendait à recevoir une ordonnance qui ne soit ni trop longue ni trop courte pour pouvoir être suivie scrupuleusement. L'introduction de la Sécurité sociale avait entraîné une augmentation de la consommation médicale et une détérioration du rôle moral et psychologique du médecin. Le docteur Paul souffrait d'être habillé en fonctionnaire tarifé.

D'après Robert Grivet, *Le bon docteur* (D.R.).

1 Celui qui peut dire qu'il est attiré par les malades n'est pas un bon médecin. Pourquoi avoir pour les malades plus d'affection que pour les autres hommes ? Il faut détester la maladie, aveu facile, mais il ne faut pas aimer les malades. Détester la maladie, comme il faut détester la pauvreté. Il faut être médecin pour qu'il n'y ait pas de malades. [...] Les bonnes infirmières sont celles qui aiment les bien portants et qui aiment, dans l'homme alité, le bien portant qu'il va redevenir. Les mauvaises sont celles qui aiment les malades, les maternent et persistent à les traiter comme des êtres amoindris, dépendants et plus ou moins satisfaits de se trouver dans cette situation.

Pourtant si chaque malade pose un problème en soi, chaque malade n'est pas qu'un malade en soi. Il doit aussi aider à résoudre un problème dont la solution pourra, éventuellement servir à un autre malade. [...]

LEXIQUE

1

alité : qui est obligé de rester au lit
les maternent : ont envers eux l'attitude d'une mère
amoindri : diminué, affaibli
en soi : par sa nature même, indépendamment de toute autre chose

la Sécurité sociale : le système officiel d'assurance contre les dépenses occasionnées par la maladie et les accidents
une détérioration : une diminution, un changement négatif
tarifé : dont on a fixé le prix à l'avance

2

Hippocrate : le plus grand médecin de l'Antiquité (il symbolise la profession)
scrupuleusement : exactement, minutieusement, en suivant les consignes

3

amer : ici, dépourvu de gaîté
pourboire : l'argent qu'on laisse en plus, pour montrer qu'on est satisfait du service
le marasme : ici, la crise
rentable : qui fait gagner de l'argent

3 « Pour régler la consultation, qui est de 80 F, elle m'a tendu un billet de 100 F, en me disant : « Gardez la monnaie, docteur ! » Le Dr C., généraliste installé dans l'Hérault, a un rire amer : « Pour la première fois dans ma carrière, on me gratifiait d'un pourboire. Un signe comme un autre de la dévalorisation de la profession. » Le marasme gagne la grande armée des généralistes, et il y a des signes qui ne trompent pas.

Il devient de plus en plus difficile pour un jeune de s'installer. Il faut compter jusqu'à cinq années avant qu'un cabinet devienne rentable.

L'Express, 21 août 1987.

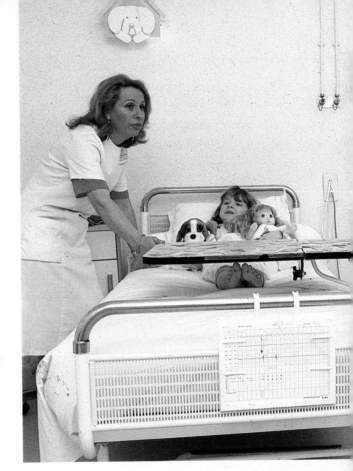

POUR MIEUX COMPRENDRE

1

DES MOTS
1. Survolez rapidement les textes **1** et **2** et notez tous les termes qui font référence à la maladie ou à la médecine.
2. Quels autres mots ajouteriez-vous à ceux-ci ?

2

Textes 1 et 2
1. D'après le premier texte, qu'est-ce qu'une « bonne » infirmière ? Un « bon » médecin ?
Exemple : Une bonne infirmière aime/n'aime pas...
Un bon médecin doit/ne doit pas...
2. Lisez maintenant le deuxième texte et confrontez-le au premier. Dites si dans l'un et l'autre cas les auteurs :
a. définissent le médecin par rapport
– à ses malades,
– ou à la maladie ?
b. lui attribuent
– un rôle « thérapeutique physique » seulement,
– ou un rôle moral également ?
c. le présentent avant tout comme
– un scientifique qui combat un mal,
– ou comme un homme qui s'intéresse à d'autres hommes qui souffrent ?

3

Texte 2
1. D'après la définition du lexique, pouvez-vous expliquer ce qu'est la Sécurité Sociale en France ?
2. Y-a-t-il un système équivalent dans votre pays ?
3. Pouvez-vous expliquer pourquoi le médecin, dans le texte 2, dit que ce système détériore « le rôle moral et psychologique » du médecin ? Partagez-vous son avis ?

4

1. À qui donne-t-on un pourboire en général dans votre pays ? Et en France ?
2. Que pensez-vous du fait de donner un pourboire à un médecin ?
3. Cela traduit-il seulement que la profession se dévalorise sur le plan financier ou aussi sur d'autres plans ? Lesquels ?
4. Essayez de définir quelle doit être la « prise en charge » dont il est question dans le texte 1 (*« ni celle d'un père, ni celle d'un prêtre »*) ?
5. Complétez les blancs du texte ci-dessous à l'aide de la liste de vocabulaire suivante : *consultations, médicaments, médecins, ordonnances, psychologique, cabinet.*
Plusieurs jeunes .... viennent d'ouvrir un .... collectif dans mon quartier. Les .... ont lieu tous les jours. Ils ne prescrivent pas énormément de ...., leurs .... sont brèves et surtout ils accordent beaucoup d'importance au rôle .... du médecin.

14 Grammaire

Tout : différents emplois

A. Tous les médecins, **toutes les** infirmières, **tout** l'hôpital et même **toute la** ville connaissaient le cas de la petite Julie.

B. Tout bien-portant est un malade qui s'ignore car **toute** personne peut tomber malade.

C. Ce dossier indique **tout : tous** et **toutes,** vous avez été malades.

D. En tombant, le cycliste eut les bras **tout écorchés** et les jambes **toutes meurtries**.

E. Si vous prenez aussi le collier, je vous ferai un prix pour **le tout.**

Le mot *tout* peut être adjectif (**A** et **B**) ou pronom (**C**) indéfini ; il peut aussi être adverbe (**D**) ou nom (**E**).

■ **Adjectif indéfini** : c'est le cas le plus fréquent.
Deux constructions sont possibles :
• *tout (toute, tous, toutes)* + déterminant + nom (**A**).
Dans ce cas, *tout* au singulier signifie « entier » (**A** = l'hôpital entier, la ville entière).
• *tout (toute)* + nom (**B**). Dans ce cas, *tout* signifie « chaque », « n'importe quel (quelle) » (**B** : chaque bien portant, n'importe quelle personne).

■ **Pronom indéfini** : au singulier, il n'a que la forme du masculin. C'est le contraire de « rien » (**C** → sens contraire). Au pluriel, le *-s* du masculin est sonore [tus] ; le féminin, lui, se prononce comme l'adjectif indéfini à la même forme (**C**).

■ **Adverbe** : *tout* signifie « entièrement », « vraiment », « complètement ». Il se place devant un adjectif (ou un participe, ou un adverbe ou un gérondif). Comme n'importe quel adverbe, il est normalement invariable (**D** : *les bras tout écorchés*), mais pour satisfaire l'oreille, quand *tout* adverbe est placé devant un adjectif féminin qui ne commence pas par une voyelle ou un h muet, il s'accorde (**D** : *les jambes toutes meurtries*. Mais on écrirait et on dirait : *des femmes tout heureuses, tout attristées*).

■ **Nom** : précédé d'un déterminant, le mot *tout* est un nom (**E**). Il a le sens de « l'ensemble ».

1

L'étudiant A est économe : « *Je veux quatre allumettes* ».
L'étudiant B est commerçant : « *Non, prenez-les toutes* (pronom) » ou « *Prenez toute* (adjectif) *la boîte* » ou « *Prenez le tout* (nom) ». **Poursuivez l'échange commercial.**
Verbes à utiliser par l'étudiant A : acheter, vendre, demander, souhaiter, aimer avoir, vouloir, prendre, désirer...
Termes à utiliser par l'étudiant B : le paquet, la caisse, le tiroir, le cageot, le sac, le panier, la valise, la série, la collection, le colis...

adjectif indéfini	pronom indéfini
Sing. : tout/toute + déterminant + nom (tout signifie *entier*) **tout/toute** + nom (tout veut dire *chaque*) **plur. : tous** [tu]/**toutes** + déterminant + nom	**tout** (forme unique)

adverbe
tout + adjectif (adverbe, gérondif) masc./fém. commençant par une *voyelle* ou un *h muet*
toute + adjectif sing. fém. commençant par une *consonne*
toutes + adjectif plur. fém. commençant par une *consonne*

nom
déterminant + **tout** (forme unique) : *le tout, un tout*

expressions avec **tout** au singulier	expressions avec **tout** au pluriel
en tout cas, de toute façon, à toute force, en tout genre, à tout hasard, à toute heure, en tout lieu, en tout point, à tout propos, en toute saison, de tout temps, à toute vitesse.	**de tous côtés, à tous égards, en toutes lettres, de toutes pièces, toutes proportions gardées, en tous sens.**

1

L'étudiant A est économe : « *Je veux quatre allumettes* ».
L'étudiant B est commerçant : « *Non, prenez-les toutes* (pronom) » ou « *Prenez toute* (adjectif) *la boîte* » ou « *Prenez le tout* (nom) ». **Poursuivez l'échange commercial.**
Verbes à utiliser par l'étudiant A : acheter, vendre, demander, souhaiter, aimer avoir, vouloir, prendre, désirer...
Termes à utiliser par l'étudiant B : le paquet, la caisse, le tiroir, le cageot, le sac, le panier, la valise, la série, la collection, le colis...

2

Complétez avec *tout* à la forme qui convient, et dites si c'est un adjectif, un pronom, un adverbe ou un nom :
a. Le médecin de famille était ..... le temps chez nous.
b. Quand j'étais ..... petite, j'ai eu ..... les maladies des enfants.
c. J'ai dû répondre à ..... sortes de questions du médecin, manger ..... les plats de régime et boire ..... ce qu'il avait décidé de nous donner et qu'il indiquait sur ..... ses ordonnances.
d. Ma mère était ..... contrariée si je ne prenais pas .....
e. Mais il était impossible de consommer le .....
f. Vous ..... qui avez été malades quand vous étiez petites filles, vous comprenez ce que je veux dire.
g. Si vous avez eu ..... les grippes, ... les bronchites qui passaient, vous n'avez pas ..... les jours vu la vie ..... en rose !

3

Modifiez la phrase pour utiliser *tout,* en gardant à peu près le même sens.
Exemple : Il a bu entièrement son verre de bière → Il a bu tout son verre de bière.

Comme chaque jour, nous faisions notre promenade.
J'aime l'atmosphère de ce vraiment petit bar.
J'ai traversé la salle en entier.
J'ai écouté la rumeur produite par l'ensemble des conversations.
Je me sentais parfaitement heureuse.
C'était une joie vraiment personnelle.

Même : différents emplois

A. Tu as toujours la **même** voiture ?

B. Non, j'ai acheté la **même** voiture que Paul.

C. C'est vraiment **la même** ?

D. Oui, une Citroën AX et **même**, elle est rouge.

Le mot *même* peut être **adjectif (A et B)** ou **pronom (C)** indéfini ; il peut aussi être **adverbe (D)**.

Adjectif indéfini : *même* est **adjectif** et donc **variable** :
• quand il précède immédiatement un nom dans la construction Déterminant + *même* + nom. Dans ce cas, *même* peut désigner un élément unique qui n'a pas changé **(A)** ou un élément qui ressemble à un autre **(B** : *ma voiture n'est pas celle de Paul, mais c'est le même modèle)* ;
• quand *même* est placé après un pronom personnel auquel il est relié par un trait d'union : *moi-même, toi-même, lui-même, elle-même, soi-même, nous-mêmes, vous-mêmes, eux-mêmes.*

Pronom (C) : *le, la, le(s) même(s)*

Adverbe
même est **adverbe**, donc **invariable**, lorsqu'il modifie un verbe **(D** : *elle est même rouge*). Dans certains cas (rares), on trouve *même* placé après un nom pour marquer l'insistance.
Exemple : *les médecins même (ou même les médecins) ne croyaient pas possible qu'il guérisse.*

4

L'étudiant A décrit les vêtements qu'il porte ; il en est fier :
« *J'ai une belle chemise* ».
L'étudiant B se moque de lui : « *Je n'ai pas la même, mais la mienne est en soie* » **ou** « *La mienne est plus belle, même une amie m'a demandé où je l'avais achetée* ». **Continuez cet exercice de provocation en employant le plus souvent possible le mot *même*.**

5

Connaissez-vous quelqu'un qui a les mêmes goûts que vous ? Dites lesquels en employant *le (la, les) même(s)*. Pensez à la musique, au cinéma, au sport, etc.

6

Mettez *même* ou *le (la, les) même(s)* :
a. Il avait eu ..... maladie que moi.
b. Il avait ..... souffert davantage.
c. Il avait été opéré par ..... médecin et ..... infirmières s'étaient occupées de lui.
d. Il était dans ..... chambre.
e. Il y avait la radio et ..... la télévision.

Si : différents emplois

A. « Tu m'as vu ? – Oui. – Et tu ne m'as pas dit bonjour ? – **Si,** je t'ai dit bonjour. »

B. Comment un docteur **si** connu a-t-il pu rédiger une telle ordonnance ? Il travaille pourtant **si** bien.

C. Je suis **si** heureuse **que** je me permets de vous embrasser.

D. Si tu me critiques, je n'ouvrirai plus la bouche. – **S'il** faut faire toutes tes volontés, tu n'apprendras jamais rien.

E. Je me **demande s'il** réussira à entrer seul.

■ *Si* **adverbe,** employé seul, se trouve :
• dans une réponse : il remplace *oui* quand la question posée est de forme négative **(A)**. C'est un adverbe d'affirmation ;
• devant un adjectif ou un adverbe pour marquer l'intensité **(B)**.

■ *Si* **adverbe** employé en liaison avec **que (si . . . que)** peut marquer la comparaison (Exemple : *Il n'est pas si malade qu'on le croit*) ou la conséquence **(C)**.

■ *Si* **conjonction de subordination**
• introduit l'hypothèse dans le système conditionnel **(D)**. *Si* + *il* = *s'il* **(D** et **E)** (cf. *Bonne route 2*, leçon 9) ;
• introduit une interrogation indirecte dans la subordonnée qui dépend de verbes qui expriment une demande **(E)**.

7

Concours entre l'étudiant A et l'étudiant B : qui emploiera le plus de *si* en deux minutes ? Attention : un étudiant note à quelle catégorie appartiennent les *si* (adverbe d'affirmation ou d'intensité, *si . . . que*, *si* hypothèse, *si* discours indirect). Toutes les catégories doivent être représentées ; alors seulement on compte le nombre de *si*.

POUR ÉCRIRE SANS FAUTE

Noms masculins finissant en [e]

🎧 **Le boulanger a fini son café.**

8 🎧

Écoutez l'enregistrement. Combien de fois entend-on le son [e] ?

9 🎧

Écoutez l'enregistrement. Quel est le nom qui finit par *é* ?

10 🎧

Écoutez l'enregistrement. Quel est le nom qui finit par *er* ?

11 🎧

C'est un élève du [lise].
Comment écrivez-vous [lise] ? Que remarquez-vous ?

14 Instantanés

MÉDECINE ET SOCIÉTÉ

4

SONDAGE : LES FRANÇAIS ET LA MÉDECINE

D'abord le généraliste

D'une manière générale, quand vous-même ou un membre de votre famille êtes malade, vous vous adressez-vous...
– plutôt à un médecin généraliste .... 79 %
– plutôt à un médecin spécialiste 10
  • Les deux, ça dépend 11
  • Ne se prononce pas .... –

Priorité à la médecine

Pour cette consultation, vous rendez-vous...
– en ville, au cabinet du médecin .... 80 %
– à l'hôpital 6
– dans un centre de santé (dispensaire, centre mutualiste, etc.) 2
  • Visite du médecin à domicile 10
  • Autres 1
  • Ne se prononce pas 1

Sympathies pour l'homéopathie

À quelles médecines douces avez-vous recours ?

– Acupuncture .... 33 %
– Homéopathie 68
– Phytothérapie (médecine par les plantes) . 25
  • Autres 2
  • Ne se prononce pas .... –

Les médecines douces minoritaires

Vous-mêmes, avez-vous recours aux médecines douces, c'est-à-dire par exemple l'homéopathie, l'acupuncture, la médecine par les plantes...
– régulièrement .... 11 %
– de temps en temps 23
– jamais 66
  • Ne se prononce pas .... –

Vote de confiance au médecin

D'une manière générale, est-ce que vous faites entièrement confiance à votre médecin ?
– Oui .... 88 %
– Non 10
  • Ne se prononce pas 2

Les usagers responsabilisés

Selon vous, l'état de santé de la population dépend-il d'abord...
– des décisions du gouvernement .... 5 %
– du comportement personnel de chaque citoyen 70
– du niveau de développement économique et social du pays 17
  • Ne se prononce pas 8

Plutôt les assurances complémentaires

Si vous acceptiez de consacrer une plus large part de vos revenus à la santé, préféreriez-vous que ce soit...
– en payant plus d'impôts .... 7 %
– en payant des cotisations plus élevées à la Sécurité sociale 21
– en payant vous-même une couverture complémentaire (de type assurance volontaire, mutuelle, etc.) 64
  • Ne se prononce pas 8

L'Express - du 4 au 10 mars 1988.

COMMENCEZ L'ANNÉE DU BON PIED.

5 *dę comité français d'éducation pour la santé*

Aujourd'hui, je viens d'avoir une des grandes joies du convalescent.

Nous sommes partis, Teresa et moi, comme d'habitude. Nous avons gagné les jardins de la tour, puis l'avenue de Cour. Je me sentais en pleine forme et je n'avais guère qu'une douleur sourde à la hanche, ce qui me durera très longtemps, d'après mon médecin. [...] J'ai regardé de loin la marquise du bar où nous avons eu l'habitude, [...] d'aller prendre le matin un verre de bière.

J'en aime l'atmosphère, le public varié, la rumeur des conversations, l'odeur du café, des petits déjeuners, etc.

Lorsque j'étais à la clinique, je me disais :
– Dans deux ou trois mois je serai peut-être capable d'aller jusque-là.

Je me sentais si bien ce matin que j'ai dit à Teresa :
– Demain ou après-demain, nous pourrons peut-être aller jusqu'à notre petit bar.

Elle m'a répondu avec beaucoup de bon sens :
– Il faut faire les choses au moment où on les désire et où on croit pouvoir les faire. Il n'y a aucune raison de remettre à demain.

Moi qui, il y a trois jours encore, avais peur du trottoir de l'avenue des Figuiers que rasaient les voitures, j'ai traversé l'avenue et, tranquillement, sans effort, j'ai atteint le petit bar. À la maison, je ne bois pas. Ce matin, j'ai bu la meilleure bière à laquelle j'aie jamais goûté.

Georges Simenon, *Des traces de pas,*
Presses de la Cité.

POUR S'EXPRIMER

5

TEST

Répondez aux questions suivantes

1. lorsque vous êtes malade dans votre pays, que se passe-t-il ?
☐ Vous appelez le médecin et il vient chez vous.
☐ Vous vous rendez à l'hôpital.
☐ Vous vous rendez chez le médecin.
2. Vous consultez de préférence :
☐ un médecin généraliste ☐ que vous choisissez
☐ un spécialiste ☐ qui vous est « imposé »
3. Vous bénéficiez ☐ Vous ne bénéficiez pas ☐
d'une prise en charge financière
☐ par l'état
☐ par une assurance privée
4. Vous faites plutôt confiance :
☐ à la médecine habituellement pratiquée,
☐ à la médecine traditionnelle de votre pays,
☐ aux médecines douces telles que l'homéopathie,
l'acupuncture, ou d'autres.

6

SONDAGE

Observez maintenant le sondage **4** réalisé auprès des Français.

1. Quelles différences notez-vous avec ce qui vous est habituel ?
2. Qu'est-ce qui vous surprend le plus ? Pourquoi ?
3. Qu'est-ce qui vous semble positif ? Négatif ?

7

À VOTRE AVIS

1. La confiance dans un médecin vous semble-t-elle essentielle ?
2. Quel rôle peut-elle jouer, ou joue-t-elle, selon vous ?
3. Vous feriez-vous soigner par un médecin en qui vous avez peu confiance mais qui a une excellente réputation ?

8

DÉFINITION

« *Je viens d'avoir une des grandes joies du convalescent .»*
(texte **5**)
1. Qu'est-ce qui est le plus agréable pendant une convalescence ?
Les attentions de l'entourage ? Le fait de prendre de moins en moins de médicaments ? Le fait de récupérer peu à peu ses forces ? Quoi d'autre ?
2. À quoi/qui compareriez-vous un(e) convalescent(e) ? Justififiez votre comparaison.

14 Instantanés

Scène du « Malade imaginaire » - Molière.

1

Comment se déroule normalement une consultation médicale ?
Rétablissez l'ordre logique :
a. le médecin rédige l'ordonnance
b. le malade dit où il souffre, ce qu'il ressent
c. le malade règle la consultation
d. le médecin examine le malade
e. le médecin interroge le malade sur les raisons de sa venue
f. le malade demande des précisions sur les prescriptions qui lui sont faites.

2

Établissez ensemble la liste des parties du corps dont on peut souffrir. Écoutez le document une première fois et cochez les parties citées.

3

Écoutez encore une fois le document. Dites de quelle maladie souffre Argan. Notez les symptômes de la maladie d'Argan.

4

En deux groupes distincts, au cours d'une troisième écoute, notez :
a. d'une part les prescriptions du médecin consulté par Argan, d'autre part les prescriptions de Toinette.
b. les justifications données par Toinette. Quelles seraient les justifications que vous donneriez pour les prescriptions faites par le médecin d'Argan ?

6

Mais cette fois la malade, c'est moi, pensa-t-elle avec étonnement ; elle n'y croyait pas tout à fait. La maladie, les accidents, toutes ces histoires tirées à des milliers d'exemplaires, elle avait toujours pensé que ça ne pouvait pas devenir son histoire ; elle s'était dit ça, à propos de la guerre ; ces malheurs impersonnels, anonymes, ne pouvaient pas lui arriver à elle. Comment est-ce que je peux moi être n'importe qui ? Et cependant elle était là, étendue dans la voiture qui démarrait sans secousse ; Pierre était assis à côté d'elle. Malade. C'était arrivé malgré tout. Est-ce qu'elle était devenue n'importe qui ? Était-ce pour cela qu'elle se trouvait si légère, délivrée d'elle-même et de toute son escorte étouffante de joies et de soucis ? Elle ferma les yeux ; sans secousse la voiture roulait et le temps glissait.

Simone de Beauvoir, *L'invitée*, Gallimard.

POUR S'EXPRIMER

9
PARADOXE

« Elle se trouvait si légère, délivrée d'elle-même et de toute son escorte étouffante de joies et de soucis. » (texte **6**)
Être malade, ce n'est pas toujours pénible, cela peut procurer des sensations agréables... Dites lesquelles et pourquoi.

10
POINT DE VUE

1. En tant que « bien portant », quelles doivent être selon vous vos relations avec un(e) malade ?
Pensez-vous que vous devez :
a. le (la) traiter comme n'importe qui, ou faire preuve d'une attitude différente ?
b. devant lui (elle), vous apitoyer sur son sort ou éviter de lui parler de sa maladie ?

c. lui venir en aide à tout moment, ou le (la) pousser à faire tout ce qu'il (elle) peut (encore) faire ?
2. En tant que malade, qu'est-ce qui vous irrite le plus dans l'attitude que votre entourage a envers vous ?
a. Les attentions exagérées ou le manque d'attentions ?
b. Les conversations trop ou pas assez centrées sur votre maladie ?
c. Quoi d'autre ?

11
DÉBAT

Un malade (ou un convalescent) est une personne qui dépend de son entourage.
1. Quel type de dépendances peut-il exister : thérapeutiques ? financières ? affectives ? autres ?
2. Quelles sont celles qui vous semblent le plus inévitables ? Les plus difficiles à supporter ?

HALTE ! RÉVISION

Leçon 11

1

Dans les phrases suivantes, les verbes sont à l'indicatif présent passif.

Récrivez les formes passives à l'indicatif imparfait, futur, passé composé, et au conditionnel présent.

a. Les photos sont prises par un collègue. **b.** Les musées sont visités par les enfants des écoles. **c.** Elle est présentée au président. **d.** Je suis informé par la radio. **e.** Tu es demandé au téléphone.

2

Le *patrimoine* est l'ensemble des biens que l'on hérite de ses parents, ou *« pères »*.

1. Connaissez-vous d'autres mots formés sur le mot latin *pater* (père) ? Établissez-en la liste.

2. Faites de même pour les mots formés sur *mater* (mère) et *frater* (frère). (Vous pouvez vous aider de votre dictionnaire).

3

Placez les mots de cette liste se rapportant aux musées dans la grille ci-dessous.

art	salle	beauté	objets	artiste	œuvres	trésors	mosaïque	sculpteur	sculptures
gare	tapis	bijoux	photos	ivoires	peintre	amateurs	tableaux	visiteurs	expositions
armes	vases	guides	pièces	meubles	pierres	costumes	céramique	graphistes	instruments
émaux	ancien	icônes	styles	moderne	statues	estampes	peintures		

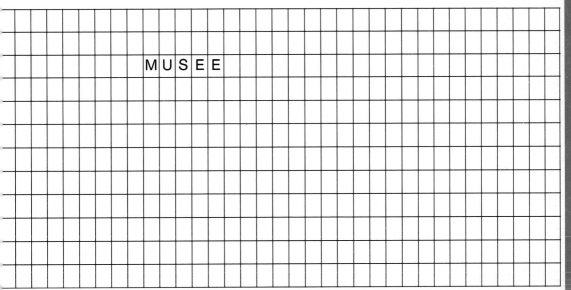

4

Imaginez par écrit un musée qui ne présenterait que des objets « étranges ». Décrivez ces objets, la façon dont le musée serait organisé, et l'atmosphère de cet endroit.

Expressions et mots nouveaux

Leçon 11

abstrait (-e), *adj.*
(un) accordéon, *n. m.*
africain (-e), *adj.*
(un) amateur, *n. m.*
(un) ameublement, *n. m.*
(une) anecdote, *n. f.*
* appâter, *v.*
(l') archéologie, *n. f.*
(un) art, *n. m.*
(un) * badaud, *n. m.*
(une) * bagatelle, *n. f.*
(une) bombe, *n. f.*
(une) capitale, *n. f.*
(une) catégorie, *n. f.*
célèbre, *adj.*
(la) céramique, *n. f.*
(un-e) champion (-ionne), *n.*
(un) chantier, *n. m.*
(la) cire, *n. f.*
(une) confusion, *n. f.*
* de toutes les couleurs
(une) date, *n. f.*
développer, *v.*
(une) direction, *n. f.*
* drainer, *v.*
dresser, *v.*
(une) enseigne, *n. f.*
environ, *adv.*
(un) envoi, *n. m.*
exécuter, *v.*
exister, *v.*
extraordinaire, *adj.*
* faire bon ménage
(une) faveur, *n. f.*
(une) figuration, *n. f.*
(une) fortification, *n. f.*
fournir, *v.*
grâce à, *loc. prép.*
(des) * graffiti, *n. m. pl.*
(l') holographie, *n. f.*
honorable, *adj.*
inscrire, *v.*
(une) institution, *n. f.*
* intégrer, *v.*
(l') ivoire, *n. m.*
japonais (-e), *adj.*
* jouir, *v.*
(un) lieu, *n. m.*
(la) littérature, *n. f.*
se métamorphoser, *v.*
(un) miracle, *n. m.*
(une) mosaïque, *n. f.*
obliger, *v.*
océanien (-ienne), *adj.*
(une) œuvre, *n. f.*

(un) opéra, *n. m.*
(une) optique, *n. f.*
(un) ordre, *n. m.*
orner, *v.*
(la) paléontologie, *n. f.*
(une) * palissade, *n. f.*
(un) * panorama, *n. m.*
(une) * peinture, *n. f.*
populaire, *adj.*
(une) population, *n. f.*
poursuivre, *v.*
(un) prestige, *n. m.*
prouver, *v.*
puisque, *conj.*
(une) restriction, *n. f.*
(une) * rétrospéctive, *n. f.*
(une) sélection, *n. f.*
sénégalais (-e), *adj.*
septembre, *n. m.*
* sillonner, *v.*
soumettre, *v.*
souterrain (-aine), *adj.*
(une) station, *n. f.*
surprenant (-e), *adj.*
(un) terme, *n. m.*
(un) tiercé, *n. m.*
(un) tombeau, *n. m.*
(une) vidéo, *n. f.*

Leçon 12

(un) adversaire, *n. m.*
(une) alliance, *n. f.*
* alpinisme, *n. m.*
(un) arbitre, *n. m.*
approuver, *v.*
(une) ascension, *n. f.*
cacher, *v.*
c'est-à-dire, *loc. conj.*
* d'un cœur mâle
(une) combinaison, *n. f.*
(une) condition, *n. f.*
consentir, *v.*
contre, *adv.*
(un) effort, *n. m.*
(un) excès, *n. m.*
* extrême, *adj.*
(une) force, *n. f.*
gêner, *v.*
inutile, *adj.*

Leçon 12

1

Posez des questions sur les compléments circonstanciels du texte p. 104.
Exemple : ..... grimper seul l'hiver → *Quand N. Jeager grimpe-t-il ?*
ou : *Avec qui N. Jaeger grimpe-t-il ?*

2

Quand y a-t-il complément d'agent ? Quand y a-t-il complément circonstanciel ?
a. Il est entré par la fenêtre. **b.** Il est sorti par le balcon. **c.** Il est venu par le bus. **d.** Il y est allé par le métro. **e.** La maison est aménagée par un architecte. **f.** Il est apprécié par ses collègues. **g.** Il est intéressé par l'émission. **h.** Il est venu de banlieue. **i.** Il est transformé par sa réussite. **j.** Il est nourri de fruits.

3

Dans la liste suivante, quels sports ont leur propre verbe ? Pour lesquels dit-on « *faire de la / du* » **? Pour lesquels dit-on** « *jouer à* » **?**
alpinisme - athlétisme - basket - canoë - cross - équitation - escrime - football - judo - luge - natation - pétanque - quilles - ski - tennis - tir - voile - yoga

4

Définissez par écrit les qualités que développent respectivement les sports collectifs et les sports individuels.

5

Rédigez les règles du sport collectif le plus populaire dans votre pays.

Leçon 13

1

Mettez les phrases au plus-que-parfait.

a. Les déménageurs entrent dans l'appartement.
b. Ils s'occupent de l'emballage.
c. Ils emballent les verres de cristal.
d. Ils décident de porter une armoire de 40 kilos.
e. Avec eux une jeune fille entre.
f. Elle se fait passer pour un garçon.
g. Elle va aider à porter l'armoire.
h. Ensuite elle se fait aider pour porter une pendule.
i. Elle se sort très bien de ce travail difficile.

2

Rédaction.

Monsieur Untel est distrait. Il est allé en ville mais il n'a fait attention à rien. Il raconte sa promenade mais il emploie beaucoup d'adjectifs et de pronoms indéfinis... Sa promenade devient étrange !
Voici le début de son récit :
J'ai pris n'importe quel bus et je suis descendu dans un certain endroit... **Continuez.**

3

1. Une femme qui a des enfants doit-elle s'arrêter de travailler ?
2. Que pensez-vous d'un couple où la femme travaille et le mari reste à la maison pour s'occuper du ménage ? Choisissez l'un de ces deux sujets et exprimez votre opinion avec des arguments à l'appui.

Leçon 14

1

Dites ce que vous voyez sur la première image, puis ce que vous voyez sur la deuxième, en employant *tout, même, autre(s)* et les autres mots indéfinis qui indiquent la ressemblance et la différence.

Exemple : *Je vois un médecin. Sur la deuxième image, je crois que c'est **le même,** mais c'est peut-être **un autre...***

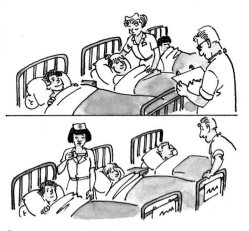

2

Un proverbe français dit : *« mieux vaut prévenir que guérir ».*

Par écrit, dites ce que vous pensez de la médecine de prévention : ses avantages, ses inconvénients, la nécessité de la développer ou pas et dans quels domaines.

Expressions et mots nouveaux

malgré, *prép.*
moral (-e), *adj.*
physique, *adj.*
(un) poids, *n. m.*
ramener, *v.*
rapprocher, *v.*
* retrancher, *v.*
sinon, *conj.*
solitaire, *adj.*
* les temps héroïques
* voué à l'échec

supérieur (-e), *adj.*
tel (telle), *adj.*
* toiser, *v.*
(un) tribunal, *n. m.*
* vague, *adj.*

Leçon 14

(une) affection, *n. f.*
* alité (-e), *adj.*
* amer (amère), *adj.*
* amoindri (-e), *adj.*
(une) armée, *n. f.*
attirer, *v.*
(un) aveu, *n. m.*
(un) cabinet, *n. m.*
(une) * détérioration, *n. f.*
dépendre, *v.*
(une) dévalorisation, *n. f.*
* en soi, *loc.*
entraîner, *v.*
éventuellement, *adv.*
(un-e) fonctionnaire, *n.*
(un-e) généraliste, *n.*
gratifier, *v.*
habiller, *v.*
(un-e) infirmier (ière), *n.*
(une) introduction, *n. f.*
jusque, *prép.*
(un) * marasme, *n. m.*
* materner, *v.*
(une) monnaie, *n. f.*
(une) ordonnance, *n. f.*
persister, *v.*
(un) * pourboire, *n. m.*
prendre en charge
(un) prêtre, *n. m.*
psychologique, *adj.*
quand bien même, *loc. conj.*
réconforter, *v.*
régler, *v.*
rendre service
* rentable, *adj.*
résoudre, *v.*
* scrupuleusement, *adv.*
secourir, *v.*
(la) * Sécurité sociale, *n. f.*
soulager, *v.*
* tarifé (-e), *adj.*
* tendre, *v.*
traiter, *v.*
tromper, *v.*

Leçon 13

accueillir, *v.*
* affiné (-e), *adj.*
* aisé (-e), *adj.*
à peu près, *loc. adv.*
apprécier, *v.*
(une) armoire, *n. f.*
avancer, *v.*
(un-e) * avocat (-e), *n.*
(une) barre, *n. f.*
* bourgeois (-e), *adj.*
* C.A.P., *sigle*
(un) * charme, *n. m.*
classique, *adj.*
(un) climat, *n. m.*
concerner, *v.*
(un) confrère, (consœur), *n.*
(le) cristal, *n. m.*
(un) Début, *n. m.*
de fait, *loc. adv.*
* désormais, *adv*
éloigner, *v.*
emballeur (-euse), *n.*
(l') hostilité, *n. f.*
intriguer, *v.*
(un) magistrat, *n. m.*
(une) mèche, *n. f.*
(un) milieu, *n. m.*
parmi, *prép.*
(une) pendule, *n. f.*
(une) pensée, *n. f.*
(une) période, *n. f.*
plaider, *v.*
plaisant (-e), *adj.*
(une) proportion, *n. f.*
(une) * réaction, *n. f.*
risquer, *v.*
sauf, *prép.*
(une) séduction, *n. f.*
sous, *prép.*

Index grammatical

Lexique

Cet index répertorie les mots nouveaux contenus dans les textes et documents de la rubrique **« Démarrage »**. Le lexique des textes de la rubrique **« Instantanés »** n'est pas recensé ici : il ne donne en effet pas lieu à un apprentissage systématique, ces textes étant à aborder en compréhension globale.

Le numéro à gauche du mot renvoie à la leçon où le mot apparaît pour la première fois. Les astérisques signalent que le mot a fait l'objet d'une explication lexicale dans la leçon.

Certaines expressions idiomatiques sont répertoriées, sans indication de catégorie grammaticale.

Liste des abréviations

adj.	: adjectif	loc.	: locution	n.	: nom	pr. ind.	: pronom indéfini
adj. ind.	: adjectif indéfini	loc. adv.	: locution adverbiale	pl.	: pluriel	pr. inter.	: pronom interrogatif
adv.	: adverbe	loc. conj.	: locution conjonctive	prép.	: préposition	v.	: verbe
f.	: féminin	loc. prép.	: locution prépositive	pr.	: pronom	v. imp.	: verbe impersonnel
inv.	: invariable	m.	: masculin				

a

1 abondant (-e), *adj.*
1 absence, *n. f.*
11 abstrait (-e), *adj.*
4 * abusif (-ive), *adj.*
9 accès, *n. m.*
11 accordéon, *n. m.*
7 accorder, *v.*
10 acteur (-trice), *n.*
13 accueillir, *v.*
10 adapter, *v.*
10 adresser, *v.*
12 adversaire, *n.*
14 affection, *n. f.*
13 * affiné (-e), *adj.*
11 africain (-e), *adj.*
6 s'agir (de), *v. imp.*
1 ailleurs, *adv.*
4 ainsi, *adv.*
13 * aisé (-e), *adj.*
9 album, *n. m.*
4 alimentaire, *adj.*
14 * alité (-e), *adj.*
12 alliance, *n. f.*
8 allumer, *v.*
8 allumette, *n. j.*
10 allusion, *n. f.*
6 alphabet, *n. m.*
12 * alpinisme, *n. m.*
11 amateur, *n. m.*
14 * amer (amère), *adj.*
11 ameublement, *n. m.*
14 amoindri (-e), *adj.*
11 anecdote, *n. f.*
2 angoisse, *n. f.*
6 * anxiété, *n. f.*
13 à peu près, *adv.*

8 apparaître, *v.*
1 * apparence, *n. f.*
11 * appâter, *v.*
4 appel, *n. m.*
13 apprécier, *v.*
12 approuver, *v.*
12 arbitre, *n. m.*
11 archéologie, *n. f.*
6 arithmétique, *n. f.*
14 armée, *n. f.*
13 armoire, *n. f.*
9 * arsenal, *n. m.*
11 art, *n. m.*
12 ascension, *n. f.*
7 s'asseoir, *v.*
1 * s'attacher (à) *v.*
7 atterrir, *v.*
14 attirer, *v.*
5 automne, *n. m.*
2 autre, *pr. ind.*
13 avancer, *v.*
3 avantage, *n. m.*
10 aventure, *n. f.*
14 aveu, *n. m.*
13 * avocat (-e), *n.*
10 avoir du mal

b

11 * badaud, *n. m.*
11 * bagatelle, *n. f.*
2 balancer, *v.*
10 bande dessinée, *n. f.*
13 barre, *n. f.*
8 bâtir, *v.*
5 battre, *v.*

5 beige, *adj.*
10 berceau, *n. m.*
4 bercer, *v.*
10 * bêtifier, *v.*
10 biberon, *n. m.*
10 blagueur (-euse), *adj.*
3 blé, *n. m.*
10 * bluette, *n. f.*
2 boire, *v.*
4 boisson, *n. f.*
11 bombe, *n. f.*
2 bouche, *n. f.*
13 * bourgeois (-e), *adj.*
10 bout, *n. m.*
8 * bousculer, *v.*
1 bras, *n. m.*
9 brise, *n. f.*
2 brosser, *v.*
9 * bruire, *v.*
5 buste, *n. m.*

c

6 * cabinet, *n. m.*
6 * cabinet de débarras, *n. m.*
5 cachemire, *n. m.*
12 cacher, *v.*
13 * C.A.P., *sigle*
11 capitale, *n. f.*
10 cas, *n. m.*
3 cassis, *n. m.*
11 catégorie, *n. f.*
11 célèbre, *adj.*
11 célibataire, *adj.*
11 céramique, *n. f.*
1 cercle, *n. m.*
8 cesser, *v.*

12 c'est-à-dire, *loc. conj.*
11 champion, (-ionne), *n.*
9 chanson, *n. f.*
11 chantier, *n. m.*
13 * charme, *n. m.*
4 chaussette, *n. f.*
10 choc, *n. m.*
10 circonstance, *n. f.*
11 cire, *n. f.*
4 * circuit, *n. m.*
9 classer, *v.*
13 classique, *adj.*
13 * climat, *n. m.*
6 * par cœur, *loc. adv.*
12 * d'un cœur mâle
10 cohabitation, *n. f.*
8 colline, *n. f.*
1 combat, *n. m.*
12 * combinaison, *n. f.*
2 * commandement, *n. m.*
10 commercial (-e), *adj.*
9 * compétition, *n. f.*
7 complaisance, *n. f.*
6 comprendre, *v.*
13 concerner, *v.*
10 * condamnation, *n. f.*
4 condamner, *v.*
12 condition, *n. f.*
3 confiture, *n. f.*
9 confondre, *v.*
13 confrère, (consœur), *n.*
11 confusion, *n. f.*
2 conseil, *n. m.*
12 consentir, *v.*
9 consister, *v.*
4 * consommation,, *n. f.*
1 * contempler, *v.*
12 contre, *adv.*

10 contrôle, *n. m.*
10 corde, *n. f.*
5 * corolle, *n. f.*
5 correspondre, *v.*
10 * couffin, *n. m.*
11 * de toutes les couleurs
4 couloir, *n. m.*
8 court (-e), *adj.*
3 coutume, *n. f.*
6 couvrir, *v.*
5 * créateur (-trice), *n.*
5 criard (-e), *adj.*
13 cristal, *n. m.*
7 cuir, *n. m.*

d

11 date, *n. f.*
13 début, *n. m.*
6 * déchiffrer, *v.*
10 déclarer, *v.*
7 décorer, *v.*
4 découverte, *n. f.*
10 dedans, *adv.*
13 de fait, *loc. adv.*
1 * défaite, *n. f.*
7 déformer, *v.*
10 délivrer, *v.*
10 démontrer, *v.*
4 * démystifier, *v.*
14 dépendre, *v.*
5 dernier (-ière), *adj.*
2 dès, *prép.*
13 * désormais, *adv.*
10 dessinateur (-trice), *n.*
6 dessus, *adv.*
10 détail, *n. m.*

révolte, *n. f.*

rimer, *v.*

rôle, *n. m.*

s

6 * saisir, *v.*

9 sans cesse, *loc. adv.*

3 sauf, *prép.*

6 sauter, *v.*

8 sauvage, *adj.*

0 scénariste, *n.*

4 * scrupuleusement, *adv.*

3 second (-e), *n.*

4 secourir, *v.*

4 * Sécurité sociale, *n. f.*

3 séduction, *n. f.*

1 sélection, *n. f.*

9 semaine, *n. f.*

1 * sembler, *v. imp.*

4 sénégalais (-e) , *adj.*

0 sensible, *adj.*

1 séparer, *v.*

1 septembre, *n. m.*

5 sept-huitième, *n. m.*

5 serrer, *v.*

2 serviteur, *n. m.*

11 * sillonner, *v.*

12 sinon, *conj.*

4 slogan, *n. m.*

2 * sobrement, *adv.*

10 social (-e), *adj.*

12 solitaire, *adj.*

5 sombre, *adj.*

9 sommet, *n. m.*

3 sorte, *n. f.*

7 sot (sotte), *n.*

5 * se soucier (de), *v.*

9 souffle, *n. m.*

14 soulager, *v.*

11 soumettre, *v.*

9 soumis (-e), *adj.*

1 * source, *n. f.*

5 souris, *n. f.*

13 sous, *prép.*

11 souterrain (-e), *adj.*

10 spectateur (-trice), *n.*

11 station, *n. f.*

5 style, *n. m.*

10 sublime, *adj.*

10 * subtil (-e), *adj.*

3 sucre, *n. m.*

8 suite, *n. f.*

5 suivant (-e), *adj.*

6 suivre, *v.*

3 supérieur (-e), *adj.*

4 * support publicitaire, *n. m.*

8 * surplomber, *v.*

11 surprenant (-e), *adj.*

6 surprendre, *v.*

4 * susceptible, *adj.*

6 syllabe, *n. f.*

t

5 taille, *n. f.*

14 * tarifé (-e), *adj.*

5 taupé (-e), *adj.*

5 teinte, *n. f.*

13 tel (telle), *adj. ind.*

9 tempête, *n. f.*

12 * les temps héroïques

5 tendance, *n. f.*

9 * tendre (à), *v.*

9 tendresse, *n. f.*

5 tenir (à), *v.*

3 * tenir (pour), *v.*

11 terme, *n. m.*

11 tiercé, *n. m.*

13 * toiser, *v.*

11 tombeau, *n. m.*

6 * toucher, *v.*

2,

14 toujours, *adv.*

1 tour à tour, *loc. adv.*

2 tousser, *v.*

10 trafiquant (-e), *n.*

14 traiter, *v.*

4 * trajet, *n. m.*

4 à travers, *loc. prép.*

6 tribulations, *n. f. pl.*

13 tribunal, *n. m.*

14 tromper, *v.*

u

3 uniquement, *adv.*

8 * urgence, *n. f.*

v

13 * vague, *adj.*

2 valoir, *v.*

9 variation, *n. f.*

9 * variété, *n. f.*

5 vaste, *adj.*

3 venir, *v.*

5 vent, *n. m.*

4 vert (-e), *adj.*

11 vidéo, *n. f.*

5 vieillir, *v.*

7 vitre, *n. f.*

6 voix, *n. f.*

7 vol, *n. m.*

12 * voué à l'échec

1 voûte, *n. f.*

3 * vu, *prép.*

z

6 * zélé (-e), *adj.*

Transcription des textes enregistrés

Mise en route

exercice 8 p. 6

Le faux kidnappeur trahi par son orthographe.

LILLE (coresp. part.)
C'est l'orthographe qui a trahi le faux kidnappeur. Soumis par les policiers à la dictée de sa lettre de demande de rançon, ce chômeur de vingt-neuf ans a pris soin de déformer son écriture mais a reproduit exactement les mêmes fautes d'orthographe.

Bernard Deschamps avait surveillé les habitudes d'un couple de retraités fortunés de Marcq-en-Barœul, près de Lille : le mari s'absente tous les après-midi pendant une heure et demie. Deschamps en profite pour téléphoner à son épouse : « Votre mari a été enlevé, annonce-t-il, vous trouverez toutes les instructions dans la boîte aux lettres. » La vieille dame trouve effectivement le mot : le ravisseur demande 100 000 F.

Lieu de rendez-vous : une cabine téléphonique voisine.

Prête à livrer la somme sur-le-champ, la retraitée alerte tout de même la police qui interpelle Deschamps près de la cabine, une heure plus tard.

Le ravisseur nie tout mais le test de la dictée a tôt fait de le confondre. Un « devand » au lieu de « devant » ne trompera pas les policiers, tandis que réapparaît, à la fin de sa promenade, le faux otage, sain et sauf bien sûr.

« Le Parisien », Édition locale Seine et Marne, 10/06/1988.

Leçon 1

À L'ÉCOUTE DE p. 14

Mariages

– Faire un mariage d'amour ? Ah, non ! Moi, je préfère faire un mariage de raison... Un mariage « arrangé », comme on dit...

– Hein ! Et pourquoi ça ?

– Mais pour échapper au divorce ! Aujourd'hui un mariage sur trois se termine par un divorce... Tu sais pourquoi ?

– Non, et pourquoi donc ?

– Parce qu'on ne fait plus que des mariages d'amour... Et, tu sais..., l'amour ne dure qu'un temps..., jamais toute la vie. Alors, quand l'amour est fini, on divorce... C'est facile.

– Mais, mari et femme peuvent vivre ensemble malgré tout ; enfin..., ensemble..., chacun de leur côté... Sans drame... quoi !

– Oui, autrefois, on s'arrangeait comme ça ; mais plus aujourd'hui ! Aujourd'hui on se dit tout, on aime la transparence ! Alors, quand l'amour a passé... au bout de cinq ans environ, disent les sociologues, on se quitte...

– Alors, pour toi, il n'y a plus de vieux couples heureux ?

– Si, quelques-uns sans doute... Mais ceux-là n'ont pas d'histoire. Personne n'en parle.

Leçon 2

À L'ÉCOUTE DE p. 21

L'âge de raison

– C'est dans combien de temps mon anniversaire ?

– Une seconde, laisse-moi compter... C'est simple ! Aujourd'hui, on est 8 juillet, et tu es né un mercredi 13...

– Alors, ça fait cinq jours. Treize moins huit égale cinq. Dis donc, papa, calcules pas vite !

– Mais non ! C'est toi qui mélanges tout. On est le 8 juillet, d'accord, ma c'est un 13 août, et non un 13 juillet, que tu es né. Moyennant quoi, huit a à trente et un, car il y a trente et un jours en juillet, égale vingt-trois, vingt-trois plus treize, ça fait trente-six jours et non cinq... Navré, mais tc anniversaire, c'est dans trente-six jours, pas avant !

– Et c'est long, trente-six jours ?

– Tu sais compter, non, Ulysse ?

– Avec les jours, non !

– Eh bien, oui, c'est assez long.

– Et qu'est-ce que j'aurai ce jour-là ?

– Tu auras... Je l'ignore, je n'y ai pas encore réfléchi.

– Tu parles !

– Tu veux savoir ce que tu auras ?... Eh bien, disons que tu auras l'âge d raison.

– C'est quoi, ça ?

– C'est un vieux, vieux truc. Un truc que mon père m'a offert pour mes sep ans, et que son propre père lui avait déjà offert...

– Comme un pouvoir magique, alors ?

– Pas exactement.

– Explique-moi.

– C'est compliqué...

– Si c'est compliqué, pas besoin de te fatiguer. On est en vacances, quan même !

– Ça n'a aucun rapport avec les vacances... Ou plutôt si ! Vois-tu, Ulysse l'âge de raison, c'est le moment où tu commences pour de vrai à deven grand.

– Est-ce que ça veut dire que je vais te dépasser ?... Chic, alors.

– Dans une certaine mesure, oui, mais ça veut surtout dire qu'à partir d maintenant, quand tu commettras une bêtise, il faudra que tu t'en expliques.

– Donc, avant de recevoir la ceinture, je pourrais me défendre ?...

– Hé, n'exagère pas... Tu ne la reçois pas souvent, la ceinture.

– Je la reçois pas mal.

– Moins que tes frères dans le passé, crois-moi.

– Et pourquoi que c'est à sept ans l'âge de raison ? Ça peut pas être plu tard ?

– Parfois, ça vient plus tard, et même assez souvent ça n'arrive jamais.

– Donc, c'est pas obligé, pour mon anniversaire ?

– À vrai dire, c'est obligé sans être obligatoire.

– Ah ! ça y est, je comprends plus rien.

– Ça tombe bien, moi non plus !... On prétend qu'à sept ans, un enfant doi savoir quand il a raison et quand il a tort.

– Mais je le sais déjà !... Quand je bavarde en classe et que la maîtresse m'attrape, j'ai tort, et quand elle s'en aperçoit pas, c'est que j'ai raison... Pas besoin d'avoir sept ans pour ça !

– Tu as raison... Bon, et si on descendait se baigner à la rivière ?

Gérard Guégan, Père et fils suite, Ramsay

Leçon 3

À L'ÉCOUTE DE p. 30

Au petit déjeuner. Soleil dehors.

Lui C'est quoi, ça ?

Elle Du beurre.

Lui Du beurre. Ah ma chérie, ma chérie, c'est tout, sauf du beurre.

Elle C'est quoi ? J'ai jeté le papier, mais tu peux le voir. Du beurre normand même.

Lui Oui, ma chérie, oui c'est peut-être marqué sur le papier, je ne dis pas le contraire, mais je n'appelle pas ça pourtant du beurre.

Elle Tu l'appelles comment, alors ?

Lui Justement, je cherche. De la margarine, de la graisse, du saindoux.

Elle Il fallait le sortir plus tôt du frigidaire, ou le mettre dans le compartiment spécial.

Lui Ce n'est pas une question de frigidaire. Non, c'est le beurre lui-même qui...

Elle Écoute, je ne vais tout de même pas aller te le chercher, ton beurre, en Normandie.

Lui En Charente, ma chérie, au moins en Charente, si tu te déplaces. *(Elle hausse les épaules.)* Ne hausse pas les épaules, ma chérie, je n'y peux rien, ce n'est pas de ma faute. Et j'ai une horreur toute particulière pour cette chose bretonne pleine de grains de sel.

Elle Il n'y a pas de grains de sel, c'est du beurre doux.

Lui C'est le comble !

Elle Tu ne me crois pas ? *(Elle se lève et, pleine d'indignation, entreprend de fouiller la poubelle.)* Tiens, regarde !

Lui Tu sais, ma chérie s'ils mettent n'importe quoi dans le beurre, ils peuvent bien mettre n'importe quoi sur le papier.

D. Sallenave, *Conversations conjugales*, POL.

Leçon 4

À L'ÉCOUTE DE p. 38

1. Je suis Contrex sur toute la ligne.

« Pour moi, boire Contrex, c'est un mode de vie. Pour être bien dans mon corps je fais un peu d'exercice, je mange léger et je bois Contrex, même en dehors des repas. Contrex agit efficacement et aide mon corps à se libérer des kilos en trop. »

Mangez léger et buvez Contrex. Ça vous change la ligne.

Agence Futurs, Médias 87.

2. Quant tout est gris à l'extérieur, mettez des charentaises à l'intérieur.

Enfin ! Cet hiver, on peut être chic et beau chez soi sans cacher ses pieds ! C'est grâce aux nouvelles charentaises, aux mules, aux babouches, aux ballerines, qui ont pris toutes les couleurs de la mode, tous les styles de la modernité, et tout cela en gardant leur confort traditionnel.

Les nouvelles charentaises sont made in France.

Agence Lancement Leonard, Médias 87.

3. Ne passons pas à côté des choses simples.

Qu'il fait bon quelquefois de retrouver le goût des choses simples.

Le croquant délicieux d'un pain frais du jour.

Les senteurs délicates d'un bouquet d'aromates.

Ces saveurs si discrètes qu'on finit par les oublier.

Ces recettes simples, presque évidentes, comme toutes les recettes Herta.

Un œuf coque et quelques mouillettes de jambon. Connaissez-vous plus simple ?

Herta, c'est aussi des pâtes fraîches, des quenelles, des knackis. Des plats de tous les jours.

Des plats qui ont le charme et le goût qu'on connaît.

Des recettes si bien faites pour la vie d'aujourd'hui.

On dirait que le temps n'est plus au compliqué.

Herta, le temps n'est plus au compliqué.

Agence Jean & Montmarin, Médias 87.

Leçon 5

À L'ÉCOUTE DE p. 46

« Monsieur 88 » - L'accessoire,

C'est *la chemise* : la rayure a toujours la cote (...) mais les unis lilas ou parme se pointent sérieusement à l'horizon.

C'est *la cravate* : les vrais hommes d'affaires n'hésitent plus à sortir de leurs clubs. Les unies qui claquent un peu, rehaussées d'un motif central sont fort prisées dans le secteur privé.

C'est aussi *la chaussure* : pas d'alternative ! Misez exclusivement sur le veau velours à l'aspect « daim » monté sur crêpe ou gomme (là, « une boucle » est la plus chic).

C'est également *la pochette* : incroyable, la pochette blanche revient en force.

Côté *chaussettes*, ne portez que des mi-bas afin de cacher ces vilains poils qui surgissent dès que vous croisez les jambes.

Et côté *montres*, alors il n'y en a qu'une : la montre chrono et rien que cela.

D'après Martine Henno - *Madame FIGARO* nov. 87, n° 13451.

Leçon 6

POUR ÉCRIRE SANS FAUTE p. 55

exercice 10

On ne peut pas acheter la santé. – Ils ont apporté des spécialités. – Elle a arrêté sa scolarité. – Elle n'a pas voulu chanter. – Ils ont commenté l'actualité.

À L'ÉCOUTE DE p. 58

Les études interrompues

La narratrice – Joseph refusa de continuer ses études (...) Papa grondait (...)

Papa – Si ce n'est pas de la paresse pure et simple, donne tes raisons (...)

Joseph – Des raisons, j'en ai beaucoup. D'abord, je ne suis pas fait pour les études. Oh ! je ne suis pas plus bête qu'un autre, mais toutes ces histoires ne me disent rien du tout. Ce n'est pas mon genre. Et je suis même sûr que les trois quarts de ce qu'on apprend, c'est parfaitement inutile, au moins pour ce que je veux faire. Et puis, il faut toujours acheter des livres et des fournitures (...) Nous n'avons pas les moyens d'acheter tant de choses.

Papa – C'est une mauvaise raison (...) Si tu avais vraiment envie de t'instruire, tu les volerais plutôt, les livres (...) Que veux-tu faire ? (...)

Joseph – Si je poursuis mes études, je resterai bien huit ou dix ans sans gagner d'argent. Tandis que si je commence tout de suite, dans le commerce (...)

La narratrice – Joseph entra donc dans « le commerce ». Une maison de commission le prit pour deux ans, au pair, en apprentissage. Papa levait les épaules et poussait de grands soupirs. Il n'avait jamais pu se courber sous aucun joug. Les mots d'emploi, d'employé lui donnaient des crises de rage. J'ai raconté, brièvement, elle ne mérite rien de plus, cette scène familiale (...) J'y pense volontiers quand Joseph dit aujourd'hui :

Joseph – « Mes parents m'ont prié d'interrompre mes études. Ils m'ont retiré de l'école en plein succès. Ça ne m'a pas empêché d'arriver, bien sûr : mais imaginez ce que j'aurais donné si j'avais été favorisé comme les autres (...) »

Georges Duhamel, *Chronique des Pasquiers*, Mercure de France.

Leçon 7

À L'ÉCOUTE DE p. 66

Le soleil à tout prix !

– Que puis-je pour vous ?
– Deux semaines en Grèce.
– Où en Grèce ?
– Je ne sais pas. Qu'est-ce que vous me conseillez ?
– Fini, le temps des conseils, chère Madame. En octobre, à la rigueur, pas en juin ! Toute la Grèce est terminée.
– Alors quelque chose qui ressemble à la Grèce...
– La Corse ? Non, tout est occupé.
– Où vais-je aller, alors ?
– Attendez un instant. La Tunisie ?
– Non. La Tunisie, je connais.
– Ah, j'ai une idée : Marrakech ! Au mois d'août, c'est un délice ; les gens sont très détendus ; soleil garanti.
– Ce serait très bien. La plage est loin ?
– Un peu... En tout cas, pas plus de deux cents kilomètres...

Le Monde (octobre 1981)

GRAMMAIRE p. 63

exercice 7

Tous les endroits tranquilles, je les ais vus. – La Tour Eiffel, je ne l'ai pas visitée. Les Champs-Élysées, je ne les ai pas vus. – La Butte-Montmartre, je ne l'ai pas visitée non plus. – Mais les endroits tranquilles que j'ai vus, je ne vous dirai pas où ils sont. – Ma sœur le sait. – Je les lui ai montrés. – Elle les a visités aussi, mais elle ne les a pas aimés.

Leçon 8

À L'ÉCOUTE DE p. 74

Comment les journalistes étrangers, correspondants à Paris, voient :

	LA PARISIENNE	*LE PARISIEN*
Roger de Weck « *Die Zeit* » Allemagne	« ... jolie, élégante, enjouée, à la fois distante et attentive à ce qui l'entoure. »	« Pressé aussi, mais sachant prendre son temps et du plaisir à la vie. Joueur, avec un grand besoin de s'affirmer. »
L.B. Robitaille « *La Presse* » Canada	« est ou bien très sexy, très mode, ou elle fait dans le style concierge. »	« C'est un Italien de mauvaise humeur. Il est soucieux de sa personne, de sa forme, aime faire le malin. »
Bruno Crimi « *Panorama* » Italie	« Une femme sûre d'elle et dominatrice, très snob. »	« Très névrosé, plutôt arrogant ; souvent tiraillé entre ses racines provinciales et son être citadin, pas très convivial sauf dans la *bouffe* ».
Diana Geddes « *The Times* » Grande-Bretagne	« La Parisienne est beaucoup mieux habillée que la Londonnienne, mais bonjour le caractère ! »	« Un Parisien ne s'excuse jamais ; il est nerveux, vous bouscule... »
Randa Takieddine « *An-Nahar Arab Report* » Liban	« Elle est insatisfaite, toujours pressée et se pose beaucoup de questions sur elle-même. C'est l'antithèse de la Méditerranéenne. »	« Ils sont râleurs et, sauf exception, pas très gentils. »
Michel Perlman « *Milliyit* » Turquie	« *Une petite personne* » coquette, assez bougonne, qui ne se prend pas pour de la merde. »	« Le Parisien est près de ses sous, d'une élégance moyenne, mais très spirituel et s'exprime bien. »

D'après *Paris Magazine* - Janvier 1986 (article signé Élodie Zoc).

POUR ÉCRIRE SANS FAUTE p. 71

exercice 7

nous placions, nous dépensions, nous connaissions, nous embrassions, nous divorcions, nous pensions, nous finissions, nous commencions, nous nous intéressions.

exercice 8

nous chantions, nous écoutions, nous invitions, nous jetions, nous montions, nous racontions.

Leçon 9

À L'ÉCOUTE DE p. 82

UNE CHANSON

Ce n'est qu'un point de poésie
Dans le ciel des matins de pluie
Le satin rose de ta peau
Que je caresse avec des mots
C'est un baiser un peu futile
Dans un tendre matin d'avril
C'est une bouteille à la mer
Une oasis dans le désert.
Une chanson
C'est trois fois rien une chanson
C'est du champagne un frisson
Une chanson
Une chanson
À quoi ça sert une chanson
Ça dure à peine une saison
Une chanson.
Ce n'est qu'un point dans l'infini
Un petit bout de mélodie
Que l'on invente sur un piano
Et qu'on habille avec des mots
C'est un prénom sur une plage

Un jour un mois juste une image
Et dans le fleuve d'aujourd'hui
C'est sûrement toute ma vie.
Une chanson
C'est trois fois rien une chanson
C'est du champagne un frisson
Une chanson
Une chanson
C'est peu de chose une chanson
Mais dis-moi ce que nous ferions
S'il n'y avait plus de chansons
Une chanson
C'est trois fois rien une chanson
C'est du champagne un frisson
Une chanson
Une chanson
C'est peu de chose une chanson
Mais dis-moi ce que nous ferions
S'il n'y avait plus de chansons.

Charles Dumont

Leçon 10

À L'ÉCOUTE DE p. 89

Exercices de conversation

PHILIPPE : Qu'est-ce que vous avez vu ? Où avez-vous été ?

JEAN-MARIE : Je suis allé au théâtre.

PHILIPPE : Décrivez et racontez-moi cela. Comment était-ce ?

JEAN-MARIE : Je me trouvais dans une grande salle avec des fauteuils rouges, à l'orchestre. Des deux côtés de la salle, j'ai vu des baignoires. Au-dessus, j'ai vu les balcons, le poulailler, plus haut encore, au milieu du plafond, il y avait un lustre énorme qui éclairait la salle. Pour arriver à ma place, j'ai d'abord acheté un billet, j'ai déposé mon pardessus au vestiaire, j'ai traversé un couloir circulaire, enfin, conduit par l'ouvreuse, je suis arrivé à ma place.

PHILIPPE : Et sur la scène, qu'avez-vous vu ?

JEAN-MARIE : Je n'ai rien vu sur la scène.

PHILIPPE : Vous n'avez pas vu la pièce ?

JEAN-MARIE : Quelle pièce ?

PHILIPPE : Une pièce, jouée par des acteurs qui sont des personnages portant des costumes ou n'en portant pas.

JEAN-MARIE : Je n'ai pas vu cela.

PHILIPPE : Il ne devait pas y avoir seulement les décors.

JEAN-MARIE : Je n'ai pas vu de décors non plus.

PHILIPPE : Que s'est-il donc passé ?

JEAN-MARIE : On a frappé les trois coups, très fort, il a fait nuit dans la salle. On a frappé encore trois coups, très forts. Le lustre n'a pas résisté. Il est tombé du plafond sur les têtes des spectateurs qui étaient derrière moi.

Heureusement, les fauteuils ont pris feu. Alors, j'ai pu voir clair. C'était très joli, il y avait des flammes partout, beaucoup de cadavres. Les pompiers sont arrivés. Ils nous ont fait prendre des douches. Je me suis bien amusé. J'ai beaucoup applaudi. Le lendemain, à la place du théâtre, il y avait un peu de cendre.

Eugène Ionesco, « Au théâtre », Gallimard.

Leçon 11

À L'ÉCOUTE DE p. 101

Un hôtel pour Picasso

... « Par ici, par ici, les enfants... Avancez... Avancez... Savez-vous où vous êtes ? Oui... Où êtes-vous ? Au musée Picasso ! direz-vous. Oui, bien sûr... Mais ce Musée Picasso, où est-il installé ? Dans quel bâtiment ? Le savez-vous ? Non. Eh bien, ce bâtiment où nous sommes, s'appelait autrefois l'Hôtel Salé. Oui, salé... Du mot sel ! Pourquoi ? Parce que celui qui l'a fait construire, un grand financier, était chargé par le roi Louis XIV, de percevoir, d'encaisser l'impôt sur le sel (Hé oui ! on payait alors un impôt sur le sel). Un bon métier sans doute pour ce Monsieur Aubert de Fontenay... hein ?

Après lui, cette maison, cet hôtel a eu divers usages... Par exemple, c'est ici que Balzac, (Balzac : le Père Goriot, Eugénie Grandet...) que Balzac a fini ses études secondaires. Le bâtiment avait été transformé en école pour jeunes gens. C'est la Ville de Paris qui a enfin acheté l'Hôtel Salé en 1964 ; puis qui a décidé d'y établir le Musée Picasso. Mais avant çà, il a fallu dix ans pour le remettre en bon état, à l'extérieur comme à l'intérieur... et qu'il soit comme vous le voyez maintenant !

Pablo Picasso est mort en 1973, à plus de 90 ans. Ses héritiers, femme, enfants, avaient à payer à l'État français, un impôt, des droits de succession, énormes. Ils n'ont pas donné d'argent, mais des tableaux, des œuvres que Picasso n'avait jamais vendues, qu'il avait conservés jalousement pour lui, parce qu'il les aimait beaucoup. Pour lui, tout ce qu'il avait créé dans sa vie – peint, dessiné, sculpté, gravé, fabriqué de ses mains – faisait un ensemble. Qui racontait sa carrière d'artiste et sa vie tout entière.

Il y avait donc, réunis dans cette maison, deux cents peintures, trois mille dessins, cent cinquante sculptures. Il fallait donc beaucoup de place pour installer tout ça... et pour bien classer toutes ces œuvres, d'après les périodes de leur création. Aussi, maintenant, il est facile pour nous de suivre ces différentes périodes – ou comme on dit pour Picasso – ces « époques »... Époque bleue, rose, nègre, cubiste... Vous voyez ?

Alors, allons-y... et commençons par faire la connaissance du peintre. Ici, sur le mur à droite, en bas, vous avez le célèbre « Autoportrait bleu » qui date de 1901... »

(Entendu le mercredi 1ᵉʳ juin 1988.)

POUR ÉCRIRE SANS FAUTE p. 99

exercice 8

Il a de belles chaussures. - J'aime sa coiffure. - J'admire sa culture. - Il n'aime pas la lecture. - Il est près du mur. - Il vit dans la nature. - Je reconnais sa signature. - La température est de 10 degrés.

Leçon 12

À L'ÉCOUTE DE p. 110

Votre première leçon de stretching (Gym de l'étirement)

Appuyée sur un mur, prenez votre pied droit dans votre main droite. Essayez de ramener votre talon vers les fesses et pressez-le. Maintenez 20 secondes, puis changez de jambe. Cet exercice est excellent pour toutes celles qui ont des problèmes de jambes et de genoux.

Près du mur, appuyez vos avant-bras sur celui-ci, la tête posée sur vos mains jointes. Pliez une jambe de façon à ce que le pied se trouve à quelques centimètres du mur. Tendez l'autre jambe en arrière, plante du pied bien à plat. Avancez les hanches en gardant le dos droit. Restez 30 secondes puis changez de jambe.

Étendez maintenant vos bras derrière la tête. Les jambes sont droites. Essayez de vous faire la plus grande possible. Tirez au maximum au niveau des pieds et des mains. Gardez l'étirement deux fois 5 secondes. Relâchez.

Allongée, dos bien à plat, une jambe est tendue. Remontez doucement le genou sur votre poitrine. Maintenez-le avec les deux mains pendant 20 secondes environ. Relâchez et changez de jambe. Cette position est excellente pour le dos.

Sur le sol mais genoux pliés, croisez vos doigts derrière la tête. Utilisez la force de vos bras pour tenter de ramener celle-ci vers l'avant. Restez 5 à 10 secondes. Revenez lentement à votre position de départ puis recommencez trois ou quatre fois.

Magazine Belle *Yves Rocher n° 3 sept.-oct. 87.*

POUR ÉCRIRE SANS FAUTE, p. 107

exercice 6

Je vais avoir une voiture. - Il m'a dit bonsoir. - Je vais devoir partir. - Il va falloir partir. - Quelle histoire ! - Tu penses pouvoir le faire ? - C'est le soir. - La voiture est sur le trottoir. - J'ai soif, je voudrais boire. - Je peux la voir d'ici.

Leçon 13

À L'ÉCOUTE DE p. 117

M.D. – Quand on voit un homme se livrer à des tâches ménagères, c'est tellement pénible, c'est tellement piteux, évidemment, on a envie de lui dire : « Laisse-moi faire. »

X.G. – D'ailleurs, à mon avis, ils le font très mal pour qu'on dise : « Écoute, tu n'y arrives pas... » Enfin... Peut-être, inconsciemment, il y a un ratage comme ça.

M.D. – Un homme qui recoud un bouton, c'est très pénible.

X.G. – Maintenant, peut-être que là aussi on en est quand même à une période un peu transitoire ? C'est vrai aussi qu'en étant petites filles on nous a appris à coudre des boutons.

M.D. – Voyez dans les villages, les petits enfants qui font les courses, c'est les petites filles. La mère envoie la petite fille parce qu'elle sait que déjà la petite fille perdra moins souvent le porte-monnaie que le petit garçon et qu'elle saura mieux redire les choses à l'épicière et au boucher. Et puis, c'est comme ça.

X.G. – Mais, c'est comme ça..., je ne sais pas...

M.D. – Je veux dire, elles le disent naturellement, il ne leur viendrait pas à l'esprit de...

X.G. – Oui, ça semble naturel, mais est-ce que c'est pas parce que, dès le début...

M.D. – Oh, bien sûr : parce qu'elles ont été élevées comme ça.

X.G. – Oui, parce que, si on envoie le petit garçon, d'abord il va se faire fiche de lui : « Comment, tu fais les courses ! » Enfin, je ne sais pas... C'est tout en engrenage, dès le départ, une espèce de honte, comme ça, qu'il aurait à faire les tâches ménagères, qui peut se transformer en son contraire, c'est-à-dire de fierté : « Moi, je fais le ménage chez moi ! », ou quelque chose comme ça. Ça ne paraît jamais aller de soi.

M.D. – Mais alors, ce travail, quand c'est des bonnes à tout faire ou des femmes de ménage qui le font, vous ne le jugez pas de la même façon ?

Marguerite Duras, Xavière Gauthier, Les parleuses, *Éditions de minuit.*

POUR ÉCRIRE SANS FAUTE p. 115

exercice 5

Les femmes ont déjà réalisé d'excellentes performances dans le marathon. Pourront-elles un jour réaliser les mêmes performances que les hommes ? - Dans certains sports, elles sont arrivées au même niveau de réussite. - Une femme peut rester féminine après avoir pratiqué une activité sportive. - Depuis 1972, les femmes ont nagé plus vite que Johnny Weissmuller. - De nos jours, Johnny Weissmuller aurait pu nager encore plus vite. - Quand je regarde le sport à la télé, je suis intéressé par les performances des femmes. - Quand on s'intéresse au sport, il faut s'intéresser à toutes les performances. - J'ai toujours trouvé cela normal, je m'étonne qu'on puisse penser autrement.

Leçon 14

À L'ÉCOUTE DE p. 126

TOINETTE. – Qui est votre médecin ?

ARGAN. – Monsieur Purgon.

TOINETTE. – Cet homme-là n'est point écrit sur mes tablettes entre les grands médecins. De quoi dit-il que vous êtes malade ?

ARGAN. – Il dit que c'est du foie, et d'autres disent que c'est de la rate.

TOINETTE. – Ce sont tous des ignorants ; c'est du poumon que vous êtes malade.

ARGAN. – Du poumon ?

TOINETTE. – Oui. Que sentez-vous ?

ARGAN. – Je sens de temps en temps des douleurs de tête.

TOINETTE. – Justement, le poumon.

ARGAN. – Il me semble parfois que j'ai un voile devant les yeux.

TOINETTE. – Le poumon.

ARGAN. – J'ai quelquefois des maux de cœur.

TOINETTE. – Le poumon.

ARGAN. – Je sens parfois des lassitudes dans tous les membres.

TOINETTE. – Le poumon.

ARGAN. – Et quelquefois il me prend des douleurs dans le ventre, comme si c'étaient des coliques.

TOINETTE. – Le poumon. Vous avez appétit à ce que vous mangez ?

ARGAN. – Oui, monsieur.

TOINETTE. – Le poumon. Vous aimez à boire un peu de vin ?

ARGAN. – Oui, monsieur.

TOINETTE. – Le poumon. Il vous prend un petit sommeil après le repas, et vous êtes bien aise de dormir ?

ARGAN. – Oui, monsieur.

TOINETTE. – Le poumon, le poumon, vous dis-je. Que vous ordonne votre médecin pour votre nourriture ?

ARGAN. – Il m'ordonne du potage,

TOINETTE. – Ignorant !

ARGAN. – De la volaille,

TOINETTE. – Ignorant !

ARGAN. – Du veau,

TOINETTE. – Ignorant !

ARGAN. – Des bouillons,

TOINETTE. – Ignorant !

ARGAN. – Des œufs frais,

TOINETTE. – Ignorant !

ARGAN. – Et le soir de petits pruneaux, pour lâcher le ventre,

TOINETTE. – Ignorant !

ARGAN. – Et surtout boire mon vin fort trempé.

TOINETTE. – *Ignorantus, ignoranta, ignorantum* ! Il faut boire votre vin pur pour épaissir votre sang, qui est trop subtil, il faut manger de bon gros bœuf, de bon gros porc, de bon fromage de Hollande, du gruau et du riz, et des marrons et des oublies, pour coller et conglutiner. Votre médecin est une bête. Je veux vous en envoyer un de ma main, et je viendrai vous voir de temps en temps tandis que je serai en cette ville.

Molière, *le Malade imaginaire*, acte III, scène XIV.

POUR ÉCRIRE SANS FAUTE p. 123

exercices 8 et 9

Le peintre est dans son atelier. - Je connais l'hôtelier. - J'ai vu mon banquier. - J'ai payé mon loyer. - Elle a un bon métier. - Vous connaissez mon boucher ? - Le joli chemisier ! - Le courrier est arrivé. - Le déjeuner était excellent. - Il est parti en congé. - J'ai bien dîné. - C'est un étranger ?

exercice 10

Il a bu du thé. - Trois hommes... et un bébé. - Ils jouent aux dés. - C'est un employé modèle. - Je vais au marché. - J'ai acheté un cahier neuf. - Il aime le rosé de Provence.

Table des matières

Leçon	Démarrage	Grammaire	Instantanés	À l'écoute de	Dictée
Halte ! révision pp. 47-48-49-50					
p. 51 **6** **Elèves, parents et profs**	pp. 52-53 Apprendre	pp. 54-55 • L'infinitif, le participe, le gérondif • L'expression de la simultanéité <u>Pour écrire sans faute</u> Les mots en [te]	pp. 56-57-58 À l'école et à la maison	p. 58 • exploitation p. 135 • transcription	p. 57 *Le bon prof* « Il doit d'abord... ... donc efficace. » *Lettre de l'éducation*
p. 59 **7** **Voyages, voyages...**	pp. 60-61 Partir, c'est changer un peu...	pp. 62-63 • Les pronoms relatifs • L'accord du participe passé avec avoir <u>Pour écrire sans faute</u> Les mots en [je]	pp. 64-65-66 Touriste : Quelle vie !	p. 66 • exploitation p. 136 • transcription	p. 66 *Une histoire de touriste* « Ils m'ont demandé... ... leur voiture dans l'eau. » *Michel Le Bris*
p. 67 **8** **Paris-images**	pp. 68-69 Paris-atmosphère	pp. 70-71 • Les propositions • La place des pronoms personnels • Le subjonctif passé <u>Pour écrire sans faute</u> Les mots en [sjõ]	pp. 72-73-74 Paris - (r)évolution	p. 74 • exploitation p. 136 • transcription	*Mon Paris* « Mon Paris n'a rien... ... tes champs de courses ! » *D'après Jean-Baptiste Roberto*
p. 75 **9** **Un petit air de musique**	pp. 76-77 La voilà qui revient la chansonnette...	pp. 78-79 • Le futur antérieur • Le conditionnel passé • La préposition « à » (« à » et « en ») • Les prépositions « en » et « dans » <u>Pour écrire sans faute</u> Les mots en [jõ]	pp. 80-81-82 Auteurs et interprètes	p. 82 • exploitation p. 137 • transcription	p. 81 *Comment naît une chanson* « Mes peines, mes joies... ... chanté les miennes ? » *D'après Charles Trénet.*
p. 83 **10** **Têtes d'affiche**	pp. 84-85 Cinéma en crise ?	pp. 86-87 • L'antériorité au passé • L'accord du participe passé avec « être » <u>Pour écrire sans faute</u> Noms et adverbes en [mã] et [amã]	pp. 88-89-90 La magie du théâtre	p. 89 • exploitation p. 137 • transcription	p. 89 *Théâtre et vérité* « Réfléchissez un moment... ... à les reconnaître. » *Denis Diderot*

Leçon	Démarrage	Grammaire	Instantanés	À l'écoute de	Dictée
Halte ! révision pp. 91-92-93-94					
p. 95 **11** **La ruée vers l'art**	pp. 96-97 Musées en tous genres	pp. 98-99 • La forme passive • La phrase passive • La forme pronominale Pour écrire sans faute Mots en [yr]	pp. 100-101-102 Richesses du patrimoine	p. 101 • exploitation p. 137 • transcription	p. 102 *Restaurer l'ancien ?* « La question... ... erreurs de style. » *L'Express*
p. 103 **12** **Bien dans sa peau...**	pp. 104-105 Noblesse du sport	pp. 106-107 • Les formes verbales littéraires • Les compléments d'objets et compléments circonstanciels Pour écrire sans faute Mots en [war]	pp. 108-109-110 En forme !	p. 110 • exploitation p. 138 • transcription	p. 104 *La règle du jeu* « Pendant une heure et demie... ... je n'ai rien dit. » *Henri de Montherlant*
p. 111 **13** **Femmes aujourd'hui**	pp. 112-113 Femmes aux commandes	pp. 114-115 • L'accord du participe passé des verbes pronominaux • Les adjectifs et les pronoms indéfinis Pour écrire sans faute Infinitif ou participe passé ?	pp. 116-117-118 mais... femmes quand même !	p. 117 • exploitation p. 138 • transcription	p. 112 *Le travail féminin* « Le fait que les femmes... ... de leurs enfants. » *Le Monde de l'Education*
p. 119 **14** **Quand on a la santé**	pp. 120-121 Médecins et malades	pp. 122-123 • tout • même • si Pour écrire sans faute Noms masculins en [e]	pp. 124-125-126 Médecine et société	p. 126 • exploitation p. 138 • transcription	p. 125 *Ça va mieux* « Je me sentais si bien... ... que j'aie jamais goûté. » *Georges Simenon*
Halte ! révision pp. 127-128-129					
Index des notions grammaticales p. 130					
Lexique pp. 131-132-133					
Transcription des textes enregistrés pp. 134 à 139					

TABLE DES ILLUSTRATIONS

Couverture : Graphir
Conception : tout pour plaire
Maquette : Katherine Roussel
Dessins : Laurent Lalo
Documentation : Brigitte Farina

Photocomposition : APS
Imprimé en France par Mame Imprimeurs, Tours
Dépôt légal n° 1423-01-1989. Collection n° 40. Edition n° 01
15/4768/6